D0298705

LE MASQUE
Collection de romans d'aventures
créée par
ALBERT PIGASSE

La Toile De Pénélope

Paul Halter est né à Haguenau en 1956. Après s'être engagé dans la Marine, avoir placé des assurances vie et gratté la guitare dans les bals du samedi soir, il s'est essayé au crime en écrivant *La Malédiction de Barberousse*, qui obtint le Prix de la Société des écrivains d'Alsace-Lorraine en 1986. L'année suivante, il remporte le Prix du Festival de Cognac avec *La Quatrième Porte*, puis le Prix du Roman d'aventures en 1988, avec *Le Brouillard rouge*. Depuis, il a publié au Masque une vingtaine de romans policiers, baignant souvent dans une atmosphère fantastique et faisant une large part aux mystères en chambre close. Il s'est également ressourcé aux mythologies méditerranéennes, comme en témoignent *Le Crime de Dédale*, *Le Géant de pierre* et *Le Chemin de la lumière* (en grand format).

Paul Halter

La Toile
De Pénélope

LIBRAIRIE DES CHAMPS-ÉLYSÉES

Je tiens à remercier vivement mon ami Vincent Bourgeois de m'avoir lancé le défi de cette « chambre close », scellée de manière fort particulière. Sans lui, la « Toile de Pénélope » n'aurait jamais été tissée.

P. H.

1

LE MESSAGE

6 août 1936

Installés à une table du *Black Swan,* le Dr Paul Hugues et ses amis levèrent une nouvelle fois leur verre en cette étouffante fin d'après-midi. C'était le second pub qu'ils visitaient et ils n'allaient vraisemblablement pas s'en tenir là. Ils avaient même prévu de passer en revue tous les établissements de Worcester avant de se séparer. Mais par quoi pouvait bien se justifier un programme aussi ambitieux ? Un départ pour les antipodes ? Un engagement dans l'armée ?

Le Dr Paul Hugues — visiblement le héros du jour, car c'est à lui qu'on portait tous les toasts — paraissait un peu trop âgé pour cette dernière supposition. De taille moyenne, approchant de la quarantaine, il ne présentait guère de particularité, si l'on exceptait sa fine moustache blonde et ses lunettes cerclées d'argent. Avec son air discret, ses gestes et ses mots mesurés, son sourire bienveillant, il n'avait guère changé depuis que ses compagnons l'avaient vu pour la dernière fois, une dizaine d'années plus tôt, sur les bancs de l'université. Intelligent mais sans ambition démesurée, il était devenu un paisible médecin de campagne, comme tout son entourage l'avait prédit, lui-même y compris.

En fait, cette réunion entre vieux amis n'était pas placée sous le signe du mystère. Malgré le brouillard de tabac et le brouhaha ambiant qui absorbaient les sons, aucun client du *Black Swan* n'aurait pu en ignorer la cause. Les remarques bruyantes à la table du petit groupe étaient on ne peut plus éloquentes :

— Sacré Paul ! On n'y croyait plus... Tu as fini par *la* trouver !

— Moi, je me suis dit que tu allais entrer dans les ordres...

— Lâcheur, va ! Me voilà devenu le seul célibataire du groupe ! Tu aurais pu me prévenir !

Le Dr Hugues se contentait de sourire aimablement aux plaisanteries, même aux plus sarcastiques. Ayant convié ses vieux compagnons à enterrer sa vie de garçon, il n'ignorait pas l'issue de cette soirée, « où tout abus de boisson était vivement recommandé », comme le professaient ironiquement les autres représentants de la faculté installés à sa table.

— Moi, déclara chaleureusement William — un gaillard joufflu au visage criblé de taches de rousseur — je suis simplement content de te revoir, Paul ! Bon sang, ça fait une sacré tire, hein ? D'ailleurs, il me semble bien que je ne t'ai plus croisé depuis qu'on a décroché notre peau d'âne !

— Oui, moi aussi ! renchérit un autre.

— Mais alors ? s'étonna Henry, un barbu au visage osseux, en fronçant les sourcils d'un air inquisiteur. Où étais-tu passé depuis tout ce temps ?

— Mais je n'ai jamais bougé de mon coin. Je me suis installé à Royston dès mes débuts.

— Royston ? Connais pas, coupa Henry après avoir vidé son verre. Ça se trouve où ?

— Du côté d'Hereford, près de la frontière galloise.

— Mais c'est complètement paumé, là-bas, non ?

— Oui, c'est un tout petit village, perdu au milieu des vergers, mais qui me convient très bien.

— C'est vrai, intervint le gros William en flanquant une solide tape amicale dans le dos de son compagnon. Toi, t'as jamais été attiré par la vie trépidante des grandes villes ! Ta mère m'a avoué un jour que tu voulais être médecin de campagne dès tes premiers biberons !

Un éclat de rire secoua l'assemblée, puis un des joyeux compères s'impatienta en agitant son verre :

— À propos de biberons, les gars, les nôtres commencent à se vider, si vous voyez ce que je veux dire...

Après une nouvelle tournée, et un nouveau toast porté en l'honneur du futur marié, le tir croisé des questions reprit, et de manière plus précise cette fois-ci.

— Bon, et si tu nous parlais d'*elle* ? Nous ne savons même pas qui elle est !

— Ni à quoi elle ressemble !

— J'espère que tu as ramené une photo, mon vieux !

— Oui, t'as intérêt ! Parce qu'un fiancé qui n'a pas la photo de sa dulcinée sur lui, c'est qu'il l'aime pas vraiment !

— Tu as raison, Bill, acquiesça le Dr Hughes en plongeant la main dans la poche intérieure de sa veste. Tu ne pourras pas me classer dans cette catégorie-là.

Le portrait qu'il posa sur la table, au milieu des chopes de bière, était celui d'une femme aux longs cheveux blonds, séparés par une raie médiane. La beauté angélique de son visage, d'un ovale parfait, exprimait surtout une grande douceur. Mais dans ses grands yeux clairs on lisait également de la tristesse, de la résignation, et quelque chose d'autre, curieux mélange de vide et de fixité.

Les commentaires ne tardèrent pas :

— Hmm ! Pas mal... pas mal du tout, déclara doctement le séducteur de la bande. Je dirais même très bien !

— Comment as-tu fait pour dénicher cette beauté ? À mon avis, tu devais être fin saoul...

— Au fait, comment s'appelle-t-elle ? Tu ne nous as même pas dit son nom !

— Ruth... Ruth Foster.

Le Dr Hugues avait prononcé ces mots avec une étrange émotion, mais personne ne s'en était rendu compte.

— Elle paraît encore très jeune, mais elle pourrait avoir entre 30 et 40 ans, n'est-ce pas ?

— Oui, 36 exactement.

— Et elle a attendu sagement tout ce temps que tu viennes lui demander sa main ?

— Eh bien...

— Mais ils sont aveugles à Royston, ou quoi ?

— Aveugles ? répéta tristement le Dr Hugues. Vous ne croyez pas si bien dire, mes amis, car...

— Tu te fous de nous, Paul ? repartit William. On peut difficilement passer à côté d'un beau brin de fille comme ça, même dans un patelin aussi paumé que Royston !

— Ce n'est pas ce que je voulais dire... D'ailleurs, Ruth était déjà mariée.

— Déjà mariée ? Je me disais bien !

— Mais dis donc, Paul, j'espère que tu n'as pas dévoyé cette charmante et sage créature ? Que tu ne l'as pas pressée de divorcer, rien que pour...

— Ruth n'est pas divorcée... elle est veuve.

Il se fit un silence, au terme duquel le

Dr Hugues, toujours absorbé dans la contemplation de la photographie, ajouta :

— Veuve depuis deux ans. Mais en fait, nous nous connaissons depuis plus longtemps. C'est même une amie d'enfance, dont j'ai toujours été amoureux. J'ai été fort surpris de la retrouver à Royston lorsque je m'y suis installé...

— Et qu'est-il arrivé à son mari ?

— Eh bien... il a été sauvagement agressé par...

— Par un inconnu au détour d'une ruelle ? acheva Henry, soupçonneux.

— Non, c'était le long d'une rivière et...

— Paul, ne me dis pas que...

— Mais non, voyons ! intervint William. Paul n'aurait jamais eu le cran de faire ça !

— Merci, Bill.

— Car il aurait dans ce cas utilisé un moyen plus subtil, comme l'arsenic ou la digitale, ce qui aurait été un jeu d'enfant pour notre bon médecin de village...

— Merci, Bill, pour ce coup de poignard dans le dos.

— Est-ce ainsi qu'il est mort ? reprit ledit Bill sans se départir de son sourire ironique.

— Pas exactement. Mais si vous me laissiez terminer... Savez-vous d'abord qui il était ? Est-ce que par hasard le nom de Frederick Foster vous dit quelque chose ?

— Le professeur Frederick Foster ? N'est-ce pas cet entomologiste qui est parti pour l'Amérique du Sud et n'en est jamais revenu ?

— Oui, le professeur Foster, ça me dit aussi quelque chose, fit Henry en se frottant le crâne. J'ai dû lire un article sur sa disparition. Il était allé là-bas pour étudier certaines espèces rares d'araignées, n'est-ce pas ?

— En effet, c'était sa spécialité. Le résultat de ses recherches était très attendu par le milieu scientifique... mais en vain. Cela fait trois ans qu'il a quitté l'Angleterre. Quelques mois après son arrivée au Brésil, il n'a plus donné signe de vie.

— Et on a découvert son cadavre peu de temps après ?

— Oui, au bord d'une rivière. Le malheureux avait été massacré par une bande de sauvages. À vrai dire, nous n'entretenions plus guère d'espoir de le retrouver vivant à ce moment-là, mais la nouvelle de sa mort nous a quand même fait un sacré choc... Je... je...

— Tu étais si triste que ça ? persifla Henry.

— En vérité, non, avoua Hugues profondément embarrassé. Et c'est cela, justement, qui me tourmentait. Car dès lors, je savais que Ruth deviendrait ma femme...

— Hmm... vous avez quand même attendu deux ans !

Le jeune médecin vida tranquillement sa bière avant de répondre :

— Dans un village comme Royston, ce

n'est pas de trop. D'autant plus que des rumeurs circulaient déjà sur notre compte à l'époque. Rumeurs plus ou moins fondées, en somme, puisque j'ai toujours aimé Ruth, malgré la maladie qu'elle avait contractée entre-temps.

Un nouveau silence s'abattit. Le ton et l'attitude du jeune médecin laissaient entendre que son cas était assez grave. Ses compagnons venaient subitement d'en prendre conscience.

— Mais... de quoi souffre-t-elle ? risqua l'un d'entre eux.

Hugues eut un sourire triste.

— Vous parliez de villageois aveugles, tout à l'heure ? Eh bien en fait, c'est elle qui l'est. Sa vue est devenue si mauvaise qu'on peut presque parler de cécité. De loin, elle ne voit plus que des ombres, et de près, elle arrive tout juste à reconnaître un visage. C'est une maladie de la rétine, qui lui fait voir d'incessants clignotements, comme si tout était en proie à de violentes vibrations.

Le repentir se lisait à présent dans tous les regards. Le médecin put ensuite parler un bon moment sans être interrompu, expliquer à ses amis que c'était cette grave affection qui, étrangement, les avait rapprochés, et était donc loin d'être une entrave à leur union. Au contraire, elle leur avait permis de mieux les éclairer sur la profondeur de leurs sentiments.

La maladie s'était déclarée une dizaine d'années auparavant, peu de temps après le mariage de Ruth. L'ophtalmologue réputé qui la soignait ne lui avait jamais caché son scepticisme. Non seulement ses espoirs de guérison étaient limités, mais elle devait même s'attendre à ce que son état empire progressivement. Son diagnostic fut, hélas ! le bon. Par ailleurs, sa vue était si mauvaise que le port de lunettes ne lui était d'aucun secours.

Elle avait encore eu le temps de jouir pleinement de la vue ravissante qu'offrait le village de Royston, avec ses maisons noires et blanches, ses potagers et ses riches vergers. La belle demeure que Frederick Foster avait héritée de son père se dressait à la sortie du village, entourée de haies diverses, d'arbres et de fougères. Ruth y vécut relativement heureuse, durant les premières années de son mariage, avant que sa maladie ne la ronge progressivement. Ce fut une joyeuse surprise pour elle de revoir son vieil ami, lorsqu'il vint frapper à sa porte en tant que nouveau médecin du village. Pour Paul Hugues, ce fut plus que cela, mais il était parvenu à dissimuler son émotion. Il fut ensuite le témoin bouleversé et impuissant de son drame, et l'aida du mieux qu'il put au fil des ans, venant régulièrement la retrouver et la réconforter. Lorsqu'elle ne fut plus en mesure de déchiffrer un mot — elle qui, pourtant, aimait tant lire ! — il l'encouragea et l'aida à apprendre les méthodes de lecture tactile. C'est à partir de ce moment-là qu'il se passa quelque chose entre eux, mais ils gardèrent encore tous deux leurs sentiments bien enfouis au tréfonds de leur être.

Les années suivantes furent plus pénibles. Foster s'occupait de plus en plus de son travail, et de moins en moins de sa femme, étant régulièrement convié à diverses réunions. Hughes, stoïque, gardait secrètes ses pensées, malgré son cœur qui brûlait d'un feu toujours plus ardent.

L'année précédant son départ pour le Brésil, le professeur recueillit sous son toit sa filleule Pénélope, qui venait de perdre ses parents alors qu'elle n'avait que 18 ans. Fort jolie, vive, et de caractère assez hardi, elle sema le trouble chez les jeunes gens des environs, et il lui arrivait souvent de rentrer à des heures indues. De son vivant, Foster avait eu toutes les peines du monde à lui faire respecter les plus élémentaires règles de bienséance, et il n'était pas rare de le voir sortir le soir pour partir à sa recherche, furieux et jurant que cela ne se reproduirait plus.

Après la disparition du professeur, ce fut au tour de Ruth d'accueillir un membre de sa famille : son oncle, le major Edwin Brough, qui revenait d'Égypte après avoir pris sa retraite. Ne sachant trop où aller, il passa quelques jours à la maison, se montrant très heureux de l'hospitalité de sa nièce. Il se sentit d'ailleurs si bien dans la grande demeure qu'il n'en partit jamais. Peu de temps après, un autre naufragé de la vie vint échouer chez eux : James, le seul neveu de Ruth, le fils unique de sa sœur, dont les parents venaient de trouver la mort dans une catastrophe ferroviaire. James avait tout juste 12 ans et aurait pu être l'enfant que le couple n'avait jamais eu. Son éducation posait cependant quelques problèmes. Intellectuellement, il était très en avance pour son âge, notamment dans les matières scientifiques et mathématiques, mais il manquait en même temps de maturité et avait parfois une étonnante tendance à l'affabulation. Il lui arrivait de passer des heures seul à jouer aux marionnettes, émerveillé, comme un gamin de 5 ans venant de découvrir un nouveau jeu.

Cependant, sa présence, son insouciance et sa jeunesse tempérèrent la tristesse qui avait envahi la maison, notamment depuis la fin tragique de Foster. Les choses s'améliorèrent par la suite, surtout lorsque Ruth et Paul prirent conscience de la profondeur de leurs sentiments réciproques. Mais il ne fut question de mariage que tout récemment.

— D'ailleurs, expliqua Paul Hugues, nous n'avons pas encore fait les démarches officielles. C'est prévu pour la semaine prochaine. J'ai un peu précipité cette réunion parce que j'avais peur de ne plus pouvoir l'organiser par la suite. Or, j'y tenais beaucoup, car c'était aussi une bonne occasion de vous revoir tous, après tant d'années...

La petite assemblée applaudit à tout

rompre, et Henry eut bien du mal à calmer ses compagnons pour prendre la parole, assez maladroitement :

— J'espère, Paul, que tu nous excuseras pour nos remarques imbéciles tout à l'heure. Nous ne savions pas... et tu sais, ta fiancée est très jolie... et nous sommes vraiment désolés que...

Enhardi par les quelques gallons de bière qu'il avait ingurgités, Paul Hugues frappa soudain violemment la table du poing.

— Mais enfin, les amis, vous n'avez décidément rien compris ! Je ne suis pas *malheureux*, voyons ! Et Ruth non plus ! Il est vrai que nous avons longuement souffert, mais aujourd'hui, nous sommes les amoureux les plus heureux de la Terre ! D'ailleurs, si je vous ai invités ce soir, c'est pour faire la fête, pour célébrer comme il se doit cet événement unique ! Car notre mariage sera le plus réussi, et notre couple le plus épanoui qu'on puisse imaginer ! Et maintenant, vite, allez me remplir tous ces biberons vides qui traînent sur la table !

Sa déclaration fut accueillie par un tonnerre d'applaudissements. Dès lors, la bière se mit à couler à flots et plus rien ne semblait en mesure d'endiguer l'allégresse des compères. Ils s'apprêtaient à quitter le *Black Swan*, tous déjà bien éméchés, lorsqu'un jeune messager vint à leur table, demandant si le Dr Hughes était l'un d'entre eux.

— Oui, c'est moi, affirma le médecin

avec une lueur de défi dans le regard, assez inhabituelle chez lui. Qu'y a-t-il, mon p'tit gars ?

— J'ai ceci à vous remettre, répondit-il en lui tendant une enveloppe.

Un air de méfiance s'alluma dans les yeux brillants de Paul Hugues.

— Je te préviens, mon p'tit gars, si c'est pour une urgence, il y a des services de garde, vu ? J'ai d'ailleurs donné des ordres précis dans ce sens.

Le nouveau venu eut l'air désolé.

— Je ne sais pas, monsieur... Moi, on m'a simplement chargé de vous remettre ce pli en mains propres, et je dois dire que j'ai eu beaucoup de mal à vous retrouver. C'est de la part d'une certaine Mrs Ruth Foster...

— Bon, alors ça va, fit Hugues en s'emparant du pli, avant d'ouvrir son porte-monnaie et de remettre un large pourboire au garçon.

Lorsque le jeune coursier se fut retiré, Hugues prit connaissance du message. Quelques secondes s'écoulèrent avant que son sourire ne se fige bizarrement. Il demeura ensuite immobile comme une statue, l'air parfaitement ahuri.

— Que se passe-t-il, Paul ? demanda William. C'est ta petite Ruth qui te demande déjà de rentrer ?

Aussi blanc que la feuille de papier entre ses doigts, Hugues articula un oui à peine audible.

— Eh bien, c'est du joli ! Si tu te laisses

19

déjà marcher sur les pieds maintenant,
qu'est-ce que ce sera...

William, soudainement inquiet, n'acheva
pas. Il s'approcha de son ami et lut à son
tour le message laconique :

> *Frederick est vivant. Il y a eu erreur sur le
> cadavre.*
> *Il sera de retour après-demain. Reviens
> vite, je t'en supplie !*
> *Ruth*

2

LE RETOUR D'ULYSSE

8 août

Le major Edwin Brough, l'oncle de Ruth, était un homme à la charpente ramassée et musclée, qui semblait perpétuellement souffrir de la chaleur. Presque en toute saison, il portait des chemises à manches courtes. Des cheveux argentés, coupés assez court, délimitaient une frontière marquée sur sa figure rougeaude. Installé à une table, au bout du couloir attenant à la véranda, il s'appliquait à bâtir un château de cartes, une de ses distractions préférées qui, professait-il, lui permettait de garder le calme, la patience et le sang-froid qui l'avaient toujours caractérisé.

Machinalement, il levait la tête de temps à autre, pour guetter les allers et venues dans le couloir. Contrôler la situation, suivre les différents mouvements, être toujours sur ses gardes et prêt à intervenir, autant de vieux réflexes qu'il avait acquis durant son séjour prolongé en Afrique. Dès son installation à Black House, il avait choisi cet endroit

21

comme poste d'observation. Un coin stratégique, mais aussi agréable, bien éclairé par les verrières de la véranda. Avant d'arrêter ce choix, il avait naturellement soigneusement étudié le terrain.

Royston était un village paisible et charmant, situé au pied d'une colline, traversé par un affluent de la Rye. Blotti autour de la vieille église de granit, il semblait endormi dans son écrin de verdure, sauf lorsqu'on préparait le cidre, le grand moment de l'année. Le voisin des Foster, Sanders, était du reste un producteur renommé. Entourée de vergers, Black House devait sans doute son nom à son colombage, ses poutres de chêne noircies par le temps, qui formaient son ossature complexe et tranchaient sur la blancheur de ses murs. Elle avait été bâtie à l'époque de la reine Elisabeth, disait-on, mais le père de Foster, qui avait fait fortune aux Indes, lui avait fait subir de nombreuses modifications. Toutes ses huisseries avaient été remplacées, ainsi que les planchers et plusieurs de ses lambris. Il l'avait dotée d'une belle terrasse de type colonial, et pourvue d'une vaste véranda, dont les murs mitoyens avec la maison avaient été percés de grandes baies vitrées, afin de gagner un maximum de lumière. Le manque de clarté, c'était sans doute de cela que la vieille demeure souffrait le plus, nichée qu'elle était au milieu d'arbres, de grandes haies et de fougères. C'est pour cette raison, entre autres, que le major avait jeté son dévolu sur ce coin au bout du couloir, près de la véranda. Certes, ce rôle de sentinelle ne se justifiait pas ici, à Royston, mais on ne change pas ses habitudes à 60 ans. Edwin Brough avait vécu trop longtemps en compagnie du danger. Par ailleurs, sa légère claudication, souvenir d'un affrontement avec une bande rebelle, ne lui autorisait plus guère d'activité sportive.

Pour l'heure, toutes ses pensées étaient consacrées au retour du professeur Foster, imminent, puisqu'il était attendu pour la matinée. S'agissait-il d'un événement heureux ? se demandait-il, en s'efforçant à l'impartialité. Bien évidemment, la réponse dépendait du point de vue.

Pour les journalistes, c'était une aubaine. Nombre de quotidiens en avaient tiré de grosses manchettes : « Retour d'un miraculé de l'Enfer vert. » « Il fausse compagnie aux coupeurs de tête après trois ans de captivité au cœur de l'enfer amazonien ! »

Le petit James était très impatient de revoir cet oncle, dont il n'avait pourtant que de lointains souvenirs. Il le considérait comme un héros et avait hâte d'entendre de sa bouche le récit de ses palpitantes aventures.

La ravissante Pénélope semblait se réjouir presque autant que le gamin, mais elle était suffisamment adulte pour comprendre que la joie de ces retrouvailles n'allait pas être sans mélange de chagrins.

Selon son habitude, elle ne cessait de bouger, allait et venait en sifflotant, mais à plusieurs reprises, le major avait vu des rides d'inquiétude plisser son joli petit front lisse.

Lui, Edwin Brough, en homme prudent et avisé, demeurait dans l'expectative. Il connaissait mal l'époux de sa nièce, ne l'ayant rencontré qu'une fois, peu après son mariage. Il lui avait fait plutôt bonne impression, mais nul ne pouvait prévoir ses réactions dans les circonstances présentes. Allait-il accepter la présence de l'ancien militaire sous son toit ? Le fait qu'il continue de diriger la maison comme il le faisait depuis qu'il était installé à Black House ? En tout cas, force lui serait de reconnaître qu'il s'était révélé un administrateur efficace et consciencieux. Brough avait limité la domesticité à un couple d'âge moyen, très capable, le majordome John Bates et sa femme Charlotte — que le professeur ne connaissait pas, car tous deux avaient été engagés peu après son départ. Pour les jardiniers, il ne les recrutait qu'occasionnellement. En fait, les seules dépenses superflues incombaient à Pénélope, qui se comportait toujours comme une enfant gâtée, imprévisible et capricieuse, mais cela ne relevait pas de ses compétences. Le major avait donc décidé d'attendre, la meilleure stratégie en pareille circonstance, comme le lui avait enseigné sa longue expérience.

24

Pour sa nièce Ruth, la situation était la pire qu'on puisse imaginer. Elle était à la fois heureuse de savoir son mari en vie, et déchirée par son retour, qui brisait net l'élan de son nouvel amour. Elle se trouvait devant un dilemme cruel, et pour ainsi dire sans solution. Elle était sous calmants depuis qu'elle avait appris la nouvelle. Le Dr Paul Hugues paraissait supporter l'épreuve avec plus de stoïcisme, mais la pâleur de son teint trahissait son profond dépit. L'état de santé de Ruth semblait être devenu son unique souci.

Comme aucune démarche officielle n'avait été engagée, peu de personnes étaient au courant de leur projet de mariage. Mais dans un village comme Royston, les rumeurs circulent à la vitesse de l'éclair. La question était donc de savoir s'il fallait informer le mari de cette situation à son retour. Garder le silence serait faire preuve d'une odieuse hypocrisie, et lui dire la vérité, une offensante manière de l'accueillir. La major conseilla aux malheureux amants d'attendre, de faire confiance au temps et à la sagesse des hommes, qui, affirmait-il, parvenaient à résoudre tous les problèmes du monde. Il fut décidé de taire leur projet dans un premier temps, mais de ne rien cacher si cela se révélait nécessaire.

Lorsqu'il entendit un bruit de moteur troubler le silence, il sut que l'heure décisive était arrivée. Il déglutit, puis s'extirpa d'un geste décidé de son fauteuil.

Le moment du retour du professeur Foster devait rester gravé dans la mémoire du major. Il faisait déjà très chaud à ce moment de la journée, peu avant midi. Le soleil se réverbérait sur le gravier blanc de l'allée et fit étinceler les chromes de la voiture qui ralentit devant la maison. Toute la maisonnée se trouvait sur les marches de l'entrée, mal à l'aise au terme de cette fiévreuse attente. Dès l'immobilisation du véhicule, une portière s'ouvrit. Vêtu d'un léger costume de flanelle, l'entomologiste sortit, contre toute attente, alerte. Pour le major Brough, qui l'avait vu pour la dernière fois depuis plus de dix ans, il avait évidemment beaucoup changé. Il n'avait plus affaire à un jeune premier, mais à un homme d'âge mûr, plutôt maigre, portant une barbe fournie et une chevelure châtain à peine striée de gris, au visage marqué par les épreuves. Cela se voyait en dépit de son large sourire. Ruth fit quelques pas avant de tomber dans ses bras, secouée de sanglots, le visage baigné de larmes. Elle fut ensuite imitée par une Pénélope également en pleurs. James s'agrippa à un pan de sa veste et le somma de raconter sur-le-champ comment il avait éliminé un à un ces méchants coupeurs de tête !

Après quelques instants d'effusion, le professeur Foster se redressa et déclara :

— Heureux, je suis heureux ! Heureux qui comme Ulysse a fait un long voyage !

3

LA « FIDÈLE » PÉNÉLOPE

Cette déclaration pouvait paraître de circonstance, mais rétrospectivement, le major crut y déceler une note d'ironie, comme dans d'autres remarques que fit Foster par la suite : « C'est fort aimable, à vous, major, d'avoir veillé sur votre nièce durant tout ce temps ! Votre dévouement vous honore... » Ou encore, en apprenant que Ruth avait accepté la tutelle de son neveu : « Ah ! Décidément, la famille s'est agrandie durant mon absence ! C'est bien, car j'ai toujours pensé qu'une maison sans enfant était une maison vide ! »

Ce n'est qu'au cours du déjeuner qu'il expliqua par le menu ses incroyables tribulations dans la jungle amazonienne, et le concours de circonstances qui avait provoqué la méprise sur le cadavre. Son auditoire, suspendu à ses lèvres, oublia quelque temps les problèmes provoqués par son retour.

— Une de mes premières préoccupations lorsque je suis arrivé là-bas, déclara-t-il, fut de me trouver un équipier, à la fois bon éclaireur et versé en zoologie. J'eus beaucoup de chance de faire d'emblée la connaissance d'un certain Peter Thomson, un Américain résidant à Rio de Janeiro, qui répondait en tout point à mes exigences. De surcroît, il me ressemblait beaucoup physiquement, ce qui devait avoir les conséquences que vous savez maintenant.

— Mais tu ne nous avais pas parlé de lui dans tes lettres ! l'interrompit Pénélope.

Foster se tourna vers elle en esquissant un sourire paternel.

— Ma pauvre chérie, j'avais tant de choses à faire pour préparer cette expédition, que je ne savais plus où donner de la tête. Mon but, je le rappelle, était de parvenir aux régions inexplorées du nord du Mato Grosso, après avoir remonté l'Amazone. Tout s'est bien passé jusqu'à Satarem, d'où je vous ai envoyé ma dernière lettre, me semble-t-il.

— Eh bien, elle ne nous est pas parvenue, soupira Ruth, les yeux toujours larmoyants.

— Cela ne m'étonne guère, gronda le professeur entre ses dents. Le service postal, là-bas, n'a rien à voir avec le nôtre, comme bien des choses. Mais passons. À Satarem, nous avons longé un affluent du fleuve, avant d'être attaqué par une bande de sauvages. Les indigènes qui nous accompagnaient n'ont pas demandé leur reste et ont détalé comme des lièvres. Peter s'est interposé, ce qui m'a permis de me sauver.

En jetant un coup d'œil par-dessus mon épaule, j'ai cru qu'il n'avait aucune chance de s'en sortir vivant. Quant à moi, je n'ai dû mon salut qu'à une fuite éperdue. Ces sauvages m'ont traqué durant plusieurs jours, et j'ignore encore aujourd'hui par quel miracle j'ai réussi à leur échapper. Sans doute la force du désespoir. J'avais perdu toute notion d'orientation, et comme un malheur n'arrive jamais seul, je fus fait prisonnier par une autre tribu, qui m'a traîné à travers la jungle durant plusieurs semaines. Arrivé dans leur camp, ils ont défait mes liens, sachant bien que la nature hostile qui nous environnait constituait la meilleure des prisons. Voilà le début de mes mésaventures, dont je vous raconterai la suite en détails une autre fois. Disons en résumé qu'ils se sont habitués à moi et que j'ai disposé d'une certaine liberté de mouvement, ce qui m'a finalement permis de réaliser mon projet, de me consacrer à l'observation et à l'étude de nouvelles espèces d'araignées. C'est surtout cela, je crois, qui m'a aidé à supporter cette difficile épreuve, dont je ne voyais guère l'issue. Je comptais les jours et durant près de deux ans je ne vis plus la moindre trace de civilisation... J'en étais arrivé au point de me confier aux araignées que je capturais.

— Mon Dieu ! s'écria Pénélope, c'est une chose qui ne me viendrait jamais à l'esprit !

— Un jour, n'en pouvant plus, je décidai de jouer quitte ou double et de partir au hasard. L'entreprise semblait irréalisable, mais je n'avais rien à perdre. Je décidai de suivre le cours d'eau le plus proche, me disant qu'il devait fatalement me mener au grand fleuve, d'où je finirais bien par trouver un port. Ce fut sans doute un des moments les plus durs de mon existence, car je me demande s'il existe au monde un environnement plus hostile que cette jungle, si justement appelée Enfer vert...

Le major Brough intervint :

— C'est sans doute le seul coin dangereux du globe auquel je ne me suis pas frotté, mais je vous crois volontiers !

— Les affres de la faim, de la soif, les nuées de moustiques, la chaleur torride, les pluies diluviennes, la fièvre, rien ne me fut épargné, d'autant que je traînais le gros paquetage contenant mon butin...

Pénélope ouvrit de grands yeux surpris.

— Quel butin ? De l'or ? Des diamants ?

— Mais non, mes araignées voyons ! Pour rien au monde, je ne les aurais abandonnées. Errant, à demi mourant, j'eus alors la chance d'être recueilli par un groupe d'Indiens plus hospitaliers, qui me soignèrent et me conduisirent finalement à un village, d'où je pus rejoindre Manaus. J'appris alors que j'étais officiellement déclaré mort... Mais j'y pense : le corps de mon associé n'a-t-il pas été rapatrié ?

— Nous l'avons bien demandé, croyant évidemment qu'il s'agissait de toi, dit Ruth en posant la main sur celle de son mari.

Mais il a été emporté par une inondation et, paraît-il, presque tout le village où il reposait.

Foster hocha tristement la tête.

— Oui, c'est assez courant, là-bas. Ou il fait chaud à mourir, ou c'est le déluge. De toute manière, ce pauvre Peter devait être dans un tel état... Vous n'auriez pu vous rendre compte de la méprise.

— Il paraît que son visage était encore reconnaissable et que les papiers retrouvés sur lui étaient bien les tiens...

Le professeur passa nerveusement la main dans sa tignasse châtain, puis répondit :

— Oui, ça c'est bien possible, car il nous arrivait d'échanger nos affaires, selon les tâches que nous effectuions. Tantôt l'un de nous lisait les cartes, alors que l'autre ouvrait la voie à coups de machette, tantôt c'était le contraire. Mais à quoi bon tous ces détails. Je suis de retour, à présent, sain et sauf, et c'est bien la seule chose qui compte, non ?

Tous hochèrent la tête en signe d'approbation, mais certains, seulement après quelque hésitation. Il y eut ensuite un moment de silence, qui fut rompu par la voix juvénile de James, un blondinet avec des jambes en échalas, au visage poupin et piqué de taches de rousseur, dont les yeux bleus vous fixaient toujours avec beaucoup de sérieux.

— Mais tes araignées, oncle Frederick ?

demanda-t-il. Où sont-elles ? Tu les as oubliées là-bas ?

Le professeur sourit à l'enfant et lui passa la main dans les cheveux d'un geste amical.

— Non, mon petit James. Je te l'ai bien dit, je ne m'en serais pas séparé pour tout l'or du monde, car il y a des spécimens fort rares, et même inconnus. Elles sont dans mes bagages, dans une caisse spécialement aménagée. Il faudra cependant faire très attention, car certaines sont dangereuses...

Un frisson parcourut l'assemblée, et tout particulièrement Pénélope qui se récria :

— Quoi, des araignées dangereuses, ici, chez nous ?

Foster tourna vers elle un sourire paternel.

— Rassure-toi, elles ne sont pas toutes venimeuses. Il y en a même une, tout à fait inoffensive, que j'ai pratiquement réussi à apprivoiser. Vous voulez que je vous la montre tout de suite ?

La jeune fille leva les mains en un geste de défense.

— Non... rien ne presse !

— En fait, elle est tout simplement très casanière. Il est même difficile de la chasser de l'endroit où elle a décidé d'élire domicile. Elle possède en outre des filières particulièrement développées.

— Elle construirait donc des toiles géantes ? s'enquit le major, intrigué.

— Non, des toiles de taille ordinaire,

mais à une vitesse qui surclasse toutes ses sœurs. C'est une espèce inconnue, car à ma connaissance, elle n'a été mentionnée nulle part. À propos, savez-vous comment je l'ai baptisée ?

— Arachno-quelque chose ? hésita la jeune fille, qui avait repoussé la tranche de gâteau que Charlotte Bates, une femme entre deux âges à l'air effacé, venait de poser devant elle.

Foster eut un large sourire, qui fit le tour de la table, avant de s'arrêter sur elle.

— Non, ma chère, dit-il. Je l'ai baptisée *Pénélope*...

Le major, qui observait la jeune fille à ce moment-là, la trouva fort belle. Son opulente chevelure noire faisait ressortir son teint pâle et ses lèvres rouges légèrement gonflées. Sa robe de soie bleue moulait à merveille sa taille de guêpe et ses formes harmonieuses. Il n'avait évidemment pas attendu cet instant pour faire ce constat, mais la frayeur figée de Pénélope, ses yeux bleus grands ouverts semblaient souligner sa beauté gracile.

— Mais... mais pourquoi cela ? bredouilla-t-elle. Je ne suis pas une araignée, oncle Fred, voyons !

— Non. Mais je suis sûr que tu connais la célèbre Pénélope de l'Antiquité, qui ne cessait de faire et de défaire sa toile, en attendant si fidèlement le retour d'Ulysse, son mari...

4

ARAIGNÉE DU SOIR... ESPOIR ?

15 août

Près d'une semaine s'était écoulée lorsque le petit James, ce matin-là, frappa à la
porte du bureau de Foster. En longeant le
couloir, il avait salué le major, occupé à
bâtir un château de cartes dans la véranda.
En temps ordinaire, il se serait arrêté pour
le regarder. La patience et le calme du vieux
militaire l'avaient toujours fasciné. Mais il
avait mieux à faire, songea-t-il, les yeux
brillants d'excitation.

Il n'entra que lorsqu'il obtint une
réponse, car il savait que son oncle était
très à cheval sur les principes, comme il
avait pu le constater en quelques jours.
Sympathique mais autoritaire. On ne discu-
tait pas ses ordres. James entra et jeta
d'emblée un coup d'œil sur cette pièce qui
avait été, il y a peu, l'un de ses antres de
jeux. Elle était désormais bien propre et
bien rangée en dépit des nombreuses
malles et valises du professeur. En face de
la porte trônait un vaste bureau, adossé

contre le mur ouest. Celui-ci était percé de trois petites fenêtres, qui n'assuraient qu'un modeste éclairage, du fait des arbres et des haies qui interceptaient une bonne partie de la lumière. Par beau temps, les rayons du soleil entraient dans l'ancienne retraite du gamin comme des faisceaux célestes, doraient les lambris de chêne, avivaient par contraste les zones d'ombre et, aux yeux du petit James, l'atmosphère mystérieuse de la pièce. Combien de fois avait-il rêvé de formidables aventures en arrêtant son regard sur le grand globe posé sur le bureau ? Il aimait aussi beaucoup sauter sur le lit à baldaquin, au fond de la pièce à droite, à côté d'une armoire, y livrer de féroces combats à des ennemis invisibles, mais ce ne serait désormais plus possible car son oncle y faisait parfois la sieste.

— Ah ! te voilà enfin, James, déclara Foster en l'accueillant avec un large sourire. Je me demandais si la peur l'avait emporté sur la curiosité !

— Je n'ai pas peur, affirma le gamin avec aplomb. Le major pourra le confirmer, lorsqu'une nuit, je l'ai accompagné parce que...

— Alors, c'est parfait. Mais viens par ici. Je vais te montrer quelque chose d'étonnant.

James lui emboîta le pas, tandis que l'aventurier gagna la troisième fenêtre ouverte, situé entre le bureau et un fauteuil à haut dossier. L'ouverture était tendue d'une toile d'araignée, remarquable figure géométrique. Foster pointa vers elle le bout de la règle qu'il tenait et, avec précaution, dégagea l'ouverture de la fenêtre. Au bout de quelques secondes seulement, suspendue au bout d'un fil à peine visible, une araignée de belle taille apparut, au corps jaune strié de noir.

— Mon petit James, je te présente Pénélope. N'aie pas peur, elle est très sociable... (Puis, s'approchant de l'insecte.) Bonjour, ma petite chérie. Désolé d'avoir fait tous ces dégâts, mais il faut bien que tu t'entraînes régulièrement. Et maintenant, montre-nous ce que tu sais faire !

La protégée du professeur se mit alors à la besogne, et tissa rapidement le cadre, puis les rayons de sa toile. Elle s'attaqua ensuite aux spirales, avec une vélocité surprenante.

— Tu verras, déclara Foster non sans fierté, dans un quart d'heure la question sera réglée.

— C'est stupéfiant...

— N'est-ce pas ?

— Je veux dire le fait qu'elle recommence au même endroit. Car si j'ai bien compris, tu lui casses souvent sa toile ?

— Je te l'ai dit, Pénélope est très fidèle. Nous sommes de vieux amis. Et entre nous, le coin n'est pas si mauvais, l'écurie des Sanders est juste derrière ces haies...

— C'est du beau travail, fit le garçon en se rapprochant pour examiner la fileuse au travail.

— Je ne te le fais pas dire. Une fois le piège mis en place, elle ne laisse rien passer ! Son ouvrage fait presque office de moustiquaire ! Et maintenant, viens, je vais te montrer ses « grandes sœurs ».

Foster gagna le lit à baldaquin, se mit à genoux, puis retira de dessous le meuble un grand coffre plat et vitré sur le haut. Un cloisonnement interne délimitait plusieurs compartiments, percés de plusieurs petits trous pour assurer la ventilation. Chacun d'entre eux recelait un insecte, si monstrueux d'aspect qu'il ne pouvait pas échapper au premier coup d'œil. James ne put contenir un frisson : il n'avait jamais vu d'araignées si énormes !

— Celle qui possède un beau diamant vert dessiné sur le dos, expliqua Foster, est une latrodecte, comme les veuves noires. Ne t'amuse jamais à la toucher, mon petit, car sa morsure est mortelle ! La grande velue à côté d'elle, de la famille des orthognates, est tout aussi dangereuse. Quant à la grosse mygale, toute ramassée dans son coin, c'est pareil. Il faut également se méfier des autres, même si leur venin est moins redoutable, voire inoffensif pour les deux toutes velues dans le coin.

— Tu les as déjà montrées aux autres ? bredouilla le gamin, à la fois effrayé et fasciné par les énormes insectes velus.

— Oui, sourit Foster. Mais on ne peut pas dire que ce fut le coup de foudre. La pauvre Pénélope en est devenue toute blanche... mais je dois dire que le major lui-même n'en menait pas large. Je vois que tu es le plus courageux de la famille, James !

— Après toi, oncle Fred, car il t'en a fallu du courage pour traverser la jungle, et mettre en déroute ces bandes de coupeurs de tête !

Lorsque Foster eut une nouvelle fois fait le récit de ses aventures, que le gamin ne cessait de lui réclamer, Pénélope avait terminé sa toile, mais James ne voulut pas changer de sujet.

— Dis-moi, oncle Fred, ces sauvages doivent t'en vouloir à mort, maintenant. Ils t'ont recueilli pendant près de deux ans, et tu leur as subitement faussé compagnie !

Foster, qui s'était installé dans son fauteuil, répondit avec un sourire lointain :

— Oui, c'est possible...

— S'ils te rattrapaient, je suis sûr qu'ils te tueraient !

— Oui, ça m'étonnerait pas.

— Mais dis-moi, ils étaient si petits que ça ?

— Minuscules.

— Comme les Lilliputiens qui ont capturé Gulliver ? Tu te souviens ? Quand j'étais petit, tu me racontais plein d'histoires...

— Je ne t'ai pas vu souvent, mon petit James, mais c'est vrai, je m'en souviens. C'était avant que vous ne partiez pour Londres. Tu devais alors avoir 6 ou 7 ans.

— Chaque fois que vous veniez chez nous, toi et tante Ruth, tu me lisais des contes. J'adorais surtout les contes des Mille et une nuits, mais l'histoire que je préférais entre toutes, c'est celle de Gulliver...

Le sourire de Foster s'accentua.

— Gulliver prisonnier des Lilliputiens... Oui, je me rappelle, ça t'avait beaucoup impressionné.

— À ce moment-là, avais-tu imaginé qu'un jour, toi aussi, tu serais fait prisonnier par des Lilliputiens ?

— Honnêtement, non. Mais tu sais, la vie te réserve parfois de sacrées surprises...

Le professeur avait prononcé ces dernières paroles d'une voix changée, mais James ne semblait pas s'en être rendu compte.

— J'ai repensé à tout ça, quand je suis venu vivre ici, et j'étais très malheureux, à cause de papa et de maman, bien sûr, mais aussi parce que tante Ruth était seule, et que toi, tu n'étais pas là. Alors, j'ai fait une maquette de Gulliver prisonnier des Lilliputiens, que j'aimerais bien te montrer. Elle est ici quelque part, dans la commode.

— Une autre fois, James, je t'en prie. J'ai eu un mal fou à mettre de l'ordre dans mes affaires, et je ne voudrais pas tout déranger pour le moment. Je suis un peu fatigué ces temps-ci, tu le comprendras...

— Tu dors ici, le soir ?

La question prit l'aventurier au dépourvu.

— Euh... oui, parfois... Ruth aussi est très fatiguée et... Le docteur Hughes lui donne même des calmants pour passer la nuit.

— Si je te demande ça, c'est à cause des araignées sous le lit.

Le jour commençait à baisser. Dans la chambre de Ruth, debout devant la fenêtre ouverte, le Dr Paul Hugues semblait absorbé dans la contemplation du verger, lentement envahi par les ombres rampantes. Entre chien et loup, ce tableau familier et souriant lui donnait des impressions de chaos, de monde englouti par les ténèbres, comme si le plus beau de ses rêves était en train de disparaître devant lui. Ce qui était bien le cas. Mais la complexité de la situation s'ajoutait à son malheur. Il se tourna vers Ruth, installée dans la bergère à côté de son lit, le regard lointain et inexpressif.

— Crois-tu qu'il sait ? demanda-t-il.

— Il ne m'a rien dit.

— J'entends bien. Mais à ton avis ?

Une ombre de lassitude passa sur le visage de Mrs Foster.

— Je n'en sais vraiment rien. Il passe la plupart du temps dans son bureau. Quand il me parle, c'est toujours d'un ton enjoué...

Le Dr Hughes caressa sa fine moustache blonde.

— Il doit être au courant malgré tout.

N'importe qui a pu lui en parler. Cette araignée baptisée Pénélope, soi-disant à cause de ses dons de tissage, ce n'était pas une remarque gratuite, à mon sens. La fidèle Pénélope qui, comme dans la légende, tisse sa toile en attendant le retour d'Ulysse ? Plus j'y réfléchis, plus le sens me semble évident.

— Je crois que tu vois le mal partout, Paul. Je pense aussi que c'était une allusion, mais elle s'adressait à sa filleule. Il lui a donné son nom par antiphrase, parce que, comme tu le sais bien, elle est assez volage. Souviens-toi, il ne cessait de lui reprocher sa conduite à l'époque.

Paul Hugues se frotta la nuque. En arrivant, tout à l'heure, à Black House, il avait croisé ladite Pénélope au volant de son cabriolet. Il avait pensé que le retour de Foster allait la freiner dans ses escapades nocturnes, mais il s'était apparemment trompé.

— Oui, finit-il par approuver en baissant la tête. C'est bien possible. Je n'ai évidemment pas de leçon à lui donner, mais à force de jouer avec le feu, elle risque un jour de se brûler. Il y a peu de temps, je suis allé chez les Sanders pour soigner la jeune Barbara. Elle n'avait qu'un gros rhume, mais elle était si abattue qu'elle m'a dit tout ce qu'elle avait sur le cœur. Tu sais qu'elle fréquentait sérieusement Matt, le fils du maire ? Eh bien notre Pénélope est passée par là... et lui a soufflé son amoureux. Barbara lui en veut terriblement. Sa colère a même déteint sur la famille Foster, car elle est allée jusqu'à évoquer cette histoire de terrains qui avait jadis opposé son père et ton mari. Elle avait beaucoup de fièvre et commençait à délirer, certes, mais je suis sûr qu'aujourd'hui encore elle n'a pas oublié.

Un silence tomba, puis le médecin reprit :

— Cela étant dit, je ne puis m'empêcher de penser que la remarque de Frederick nous visait nous, toi et moi. De toute manière, il finira bien pas l'apprendre un jour...

Un souffle de vent apporta le bêlement lointain d'un agneau, comme un étrange écho à la voix faible et émue de Ruth :

— Paul, je crois que je vais devenir folle si la situation ne s'éclaircit pas dans les prochains temps. Il nous faut prendre une décision.

Le médecin retira sa montre de gousset d'une poche de sa veste, disant :

— C'est toi, et toi seule, qui en as le pouvoir.

— Je crois que je ne sais plus très bien où j'en suis.

Le visage du médecin se rembrunit soudain.

— Ce qui voudrait dire ?

Les grands yeux bleus de Ruth s'embuèrent de larmes. Elle pencha la tête de côté et une mèche de cheveux blonds tomba sur sa joue.

42

— Je ne sais pas... je ne sais plus, murmura-t-elle. Je ne voudrais plus vivre...

Il s'approcha d'elle et lui prit la main avec douceur.

— Courage, ma chérie. Je vais te donner quelque chose et tu vas te mettre au lit. Demain, il fera jour, et nous verrons les choses avec plus de sérénité.

Au début, ce ne fut qu'un petit grattement qui lui titillait la plante des pieds. Mais l'étrange fourmillement parut ensuite comme mobile... Il lui remonta la jambe, jusqu'au genou, puis jusqu'au ventre, avant de revenir sur ses pas.

Le front baignée de sueur, Pénélope demeurait immobile dans son lit. Elle se sentait trop lasse pour allumer sa lampe de chevet et consulter sa montre. Elle estima cependant qu'il était une heure fort avancée de la nuit. Forcément, puisqu'elle n'était rentrée que sur les coups de minuit ! Les détails de sa soirée lui revinrent peu à peu. Un ami et ancien soupirant l'avait invitée pour fêter son anniversaire. Sous prétexte de plaisanterie, il avait essayé de renouer avec elle. Agacée, et à cause d'un geste mal interprété, elle l'avait soudainement giflé. Elle s'était excusée aussitôt, mais la bande de joyeux drilles témoins de la scène la condamnèrent à boire dix verres de porto ! Elle avait eu du mal à tenir le volant sur le chemin du retour...

Sentant toujours la caresse soyeuse lui remonter la jambe, elle se demanda s'il ne fallait pas l'attribuer aux vapeurs de l'alcool. Des vapeurs chaudes lui montaient à la tête, comme l'haleine torride d'une forêt vierge... Elle se voyait à présent entourée de lianes, au travers desquelles elle tentait de se frayer un chemin, à coups de machette frénétiques. Toutes sortes de bruits étranges l'entouraient et elle croyait voir des paires d'yeux tout autour d'elle. Un homme en tenue d'explorateur la précédait, qui n'était autre que le professeur Foster. Il s'enfonçait inexorablement dans la sylve amazonienne, dans ce néant vert d'où l'on ne revient pas... Il allait disparaître lorsqu'il s'arrêta soudain, les yeux ronds et l'index tremblant, pour lui montrer quelque chose tapie au sol sous une grande feuille verte. C'était quelque chose de gros, de ramassé et de velu, et qui bougeait de surcroît...

Ce même geste, Frederick Foster l'avait fait devant elle, ces jours-ci, dans son bureau. Mais il souriait à ce moment-là, quoique sans parvenir à dérider Pénélope. Elle eut presque un haut-le-corps lorsqu'il avait fait apparaître les araignées monstrueuses qu'il conservait sous son lit. Un embrouillamini grouillant de pattes et de corps velus, dont la seul vue la révulsait. Par comparaison, l'autre qui montait la garde à la fenêtre était un amour...

Se coucher avec de telles araignées sous son lit, elle n'osait y penser. Elle n'aurait jamais réussi à fermer l'œil de la nuit. Elle sentait la sueur inonder ses tempes, et ce fourmillement sur ses jambes devenait de plus en plus vif. À présent, cela ressemblait presque à une morsure...

Soudain, elle se raidit comme pénétrée d'un glaive de feu. La gorge paralysée de terreur, elle ne parvint pas immédiatement à produire un son. Quand son hurlement partit tout d'un coup, il ébranla Black House jusque dans ses fondations.

5

LA PHOTO

Le major Brough posa victorieusement les deux derniers éléments de son château de cartes, malgré un léger tremblement de ses mains qui ne lui était pas habituel. Jusqu'ici, il avait toujours fait preuve d'un sang-froid remarquable, même dans les moments cruciaux. Déficience due à la vieillesse ? Ou pire encore, à une influence extérieure ? Un tel relâchement aurait pu être lourd de conséquences, jadis, lorsqu'il faisait ses tours de garde au Soudan. Car il est des moments dans la vie, où la moindre fraction de seconde d'inattention peut se révéler fatale. Nombre de ses compagnons d'armes auraient pu en témoigner... s'ils avaient survécu.

Ressassant ses vieux souvenirs, il parvint à la conclusion que l'action, si dangereuse soit-elle, est souvent moins pénible que ces situations d'attente, redoutablement calmes, durant lesquelles l'ennemi ne se manifeste pas. On le sent tout proche, dissimulé derrière une dune ou un palmier, mais on ne le voit pas. Au-dessus de votre tête, le soleil darde ses rayons brûlants, comme pour mieux vous mettre à l'épreuve, vous pousser dans les derniers retranchements de l'angoisse de l'attente. Mais il ne se passe rien. L'ennemi ne se montre toujours pas, aussi invisible que l'air...

D'aussi loin qu'il s'en souvînt, c'étaient les moments les plus éprouvants de sa longue carrière de soldat. Or, ces jours-ci, c'était exactement ce qu'il ressentait. Il flairait quelque part, dans les murs de Black House, une sorte de danger latent, invisible, mais aussi palpable qu'une poignée de sable brûlant. Son instinct le lui disait, et il ne l'avait jamais trompé. La question étant évidemment de le débusquer. Étaient-ce les petites « Brésiliennes velues » que Foster avait rapportées de son séjour ?

Il haussa les épaules. Il n'appréciait que modérément leur compagnie, mais quelques coups de pieds bien placés auraient suffi pour les réduire en bouillie. Souriant, il tira une carte à la base de son édifice de papier, qui se renversa entièrement dans un mouvement ordonné. Il est certain que, si la nuit dernière, il avait laissé son château de cartes sur cette même table, il aurait été balayé de la sorte par les vibrations qui avaient secoué Black House, après le long hurlement hystérique de Pénélope. En un clin d'œil, toute la maisonnée s'était retrouvée dans la chambre de la jeune fille, visiblement en proie à un

47

affreux cauchemar. L'araignée qui était censée lui avoir mordu les pieds n'existait que dans son imagination. Par mesure de sécurité, il avait néanmoins fouillé la pièce et Foster, lui, avait vérifié que toutes ses pensionnaires étaient présentes. Aucune ne manquait.

Pénélope s'était bien vite remise de sa frayeur, et avait pratiquement oublié l'incident le lendemain. Le major, lui, avait pensé que la tension montait, et qu'il était temps d'agir. Cette attente devenait désormais trop longue. Il devait passer à l'action. Mais quoi faire ? Voilà bien toute la question. Aucune initiative ne lui semblait heureuse. Foster, avec son sourire de sphinx, n'incitait pas au dialogue. Pénélope ne songeait qu'à ses petits problèmes personnels. James était bien trop jeune, Ruth au bord du désespoir, et le Dr Hugues, plus coincé que jamais. Les choses ne pouvaient pourtant pas en rester là, songea-t-il une nouvelle fois, en entendant un bruit de pas dans le couloir.

Il leva la tête et vit Bates, le majordome. Celui-ci, quinquagénaire grisonnant de haute taille, avait gardé toute sa prestance, en dépit du rôle plus humble qui était le sien, depuis que le major avait réduit la domesticité de la maison. Allait-il encore lui annoncer la venue d'un de ces journalistes qui les harcelaient depuis le retour du maître des lieux ? Non, il n'avait pas entendu de coup de sonnette.

— Oui, Bates, c'est à quel sujet ? s'enquit-il en rassemblant ses cartes.

Le majordome lui répondit avec un visage empreint de gravité :

— J'aimerais vous montrer quelque chose, monsieur. Mais avant cela, je voudrais que vous soyez persuadé de mon plus grand dévouement pour la maison et ses habitants...

— Bien sûr, Bates, personne n'en a jamais douté. De quoi s'agit-il ?

Les yeux gris du domestique effleurèrent son interlocuteur, puis il baissa la tête.

— En fait, c'est assez délicat. Charlotte a trouvé quelque chose dans le bureau du professeur, ce matin en y faisant le ménage. Quelque chose de tout à fait banal, qui ne signifie pas grand-chose en soi, mais qui lui a paru curieux tout de même, et à moi aussi quand elle me l'a montré. Si bien que nous nous trouvons désormais dans une situation bien embarrassante, car nous ne voudrions pas prendre parti, ni nous taire devant... comment dire ? Devant les questions que suscite cette découverte. Mais j'ai peur de m'être mal fait comprendre...

— Oui, je le crains. Mais si vous en veniez au fait ? De quel objet s'agit-il ?

Le majordome s'éclaircit la voix avant de répondre :

— D'une photo... Une photo qui était vraisemblablement tombée d'une chemise, au fond d'une mallette en osier.

— Une photo de quoi ?

— D'une personne, monsieur.

— Mais de qui, alors ? s'impatienta le militaire.

— Justement, toute la question est là.

— S'il s'agit d'une photo floue, sachez, Bates, que je ne suis plus l'œil de lynx que j'étais...

— Oh ! elle n'est pas floue, non ! Bien au contraire : elle est suffisamment nette pour que... Mais c'est cela, monsieur, précisément, qui est très intrigant... Enfin, si je puis me permettre de vous la montrer ?

Le major se fit violence, cette fois-ci, pour ne pas fustiger les bonnes manières qui, dans certains cas, frisaient l'impertinence. Et c'est avec une brusquerie fort inhabituelle qu'il s'empara du cliché que le domestique venait de sortir de sa poche. Il demeura ensuite un long moment à l'étudier, les sourcils froncés, puis demanda :

— Et alors, je ne vois vraiment pas ce qu'il y a d'étrange. On reconnaît fort bien...

— Oui, je vous l'ai dit, mais regardez le verso. Il y a une date et un nom.

Le major s'exécuta, puis son scepticisme se changea en vive perplexité. Il retourna de nouveau la photo pour examiner le recto, puis déclara au bout d'un moment :

— Oui, je vois. C'est vraiment étonnant. Soit il s'agit d'une coïncidence hors du commun, soit...

— Il est difficile d'envisager une telle hypothèse, mais en même temps... La situation est assez délicate, n'est-ce pas ?

50

— Oui, et vous avez bien fait de m'en parler, Bates. Mais dites-moi, est-ce que le Dr Hugues est déjà parti ?

— Non, il est encore dans la chambre de madame, qui a de nouveau passé une très mauvaise nuit.

— Alors dites-lui de venir me voir sans tarder.

Le Dr Hugues fut invité à rester dîner ce soir-là. Le repas fut pris dans une ambiance assez cordiale. Le professeur évoqua avec humour une suite d'anecdotes curieuses, relatives aux mœurs particulières de certaines tribus amazoniennes, auxquelles s'ajoutèrent les questions naïves de James, qui rendirent les choses parfois franchement comiques. Lorsque Charlotte eut servi les cafés, le major, assez discret jusque-là, prit la parole en s'adressant au maître des lieux :

— Nous imaginons tous, Frederick, ce que ce long exil fut pour vous, et notre joie de vous revoir, qui plus est en bonne santé, n'a sans doute d'égale que la vôtre. J'ai été très sensible à vos remerciements, pour m'être occupé de votre foyer, avoir veillé sur le bien-être de ma nièce, mais vous ne m'êtes pas redevable : je n'ai fait que mon devoir. D'ailleurs, je me sens toujours investi d'une telle mission.

Foster, renversé contre le dossier de son

siège, arrêta le geste qu'il faisait pour allumer son cigare et dit :

— Mon cher Edwin, croyez bien qu'il n'entre pas dans mes intentions de simplement vous remercier. Je serai très heureux de vous garder comme intendant, enfin si vous n'y voyez pas d'inconvénient et...

— Merci, Frederick, mais ce n'était pas de cela que je voulais parler. J'entendais par devoir, le devoir moral de veiller sur vous et les vôtres, en tant que personnes, mais aussi sur vos biens, contre toutes sortes de menaces extérieures, et cela au risque de prendre certaines initiatives déplaisantes.

L'aventurier se carra dans son siège et rendit une longue bouffée de son cigare.

— Vous avez toute ma confiance, Edwin, je vous l'ai dit. Vos moindres requêtes vous sont accordées d'avance, surtout s'il s'agit d'intérêts communs.

Le major hocha la tête avec gravité, puis répondit :

— Merci, cela facilitera les choses. En fait, ce que je souhaiterais simplement, c'est que nous tous, nous parlions du bon vieux temps, que nous évoquions des souvenirs lointains, aussi futiles qu'ils puissent paraître. Je vous expliquerai ensuite de quoi il retourne et j'espère que tout cela se terminera simplement par une franche rigolade !

Durant les deux heures qui suivirent, toutes sortes de sujets furent abordés, mais le major veillait à orienter le débat, en sollicitant notamment le concours de Ruth, de Pénélope et du petit James, afin qu'ils questionnent Foster sur des sujets très personnels. James ne se fit pas prier, se remémora avec délices les lectures jadis faites par son oncle. Ruth se montra fort surprise devant l'insistance du major, qui lui demandait d'interroger son mari, parfois même sur des détails d'ordre sentimental. En revanche, Pénélope parut méfiante. Elle rechigna quelque peu à parler de ses parents, de son père Charles qui avait été l'ami intime de Frederick, mais s'exécuta malgré tout. Foster répondait à toutes ses questions en souriant, mais on le devinait méfiant. Lorsque la pendule eut sonné les coups de 11 heures, il posa fermement la main sur la table en déclarant :

— Je crois que nous avons assez causé comme ça. Remarquez, ce n'est pas que cette conversation m'ennuie. Loin de là. J'ai toujours adoré narrer des contes aux enfants, à propos desquels James m'a posé tant de questions. (Il se tourna vers sa femme et la prit par la main.) J'ai également gardé de très bons souvenirs de notre première rencontre, Ruth, ma chérie, dont les détails n'ont désormais plus de secrets pour personne, selon la volonté du major. Et il ne m'a pas été désagréable non plus de parler du regretté Charles, mon vieil ami, avec qui j'avais jadis fait les quatre cents coups. Mais maintenant, Edwin, j'aimerais savoir à quoi rime tout cela. D'après la manière dont vous avez mené les débats, j'ai eu le sentiment d'être au tribunal, comme si l'on mettait en cause la moindre de mes affirmations.

Le major posa fermement son verre de whisky, puis regarda le maître de céans droit dans les yeux.

— Je plaide coupable, mon cher Frederick. J'avoue avoir joué ce rôle, mais rappelez-vous que c'est pour une bonne cause. Cependant, je ne tournerai pas plus longtemps autour du pot. Voilà : nous avions certaines raisons de penser que vous êtes un imposteur.

6

UNE ÉTRANGE RESSEMBLANCE

Après un moment de silence, Foster avait penché la tête en arrière et était parti d'un grand éclat de rire.

— Et personne ne se serait rendu compte de rien ? finit-il par dire. Enfin, Edwin, ce n'est pas sérieux ! Vous devriez vous-même être en mesure de me reconnaître, même si notre dernière rencontre remonte à un bout de temps.

— Pas avec certitude, car vous aviez alors la moitié de votre âge. C'était le jour de votre mariage, souvenez-vous...

— Et James ? s'exclama l'aventurier.

— Même remarque pour lui. Vous ne l'avez pas revu depuis sept ou huit ans.

— Admettons, mais il y a quand même ma femme, répliqua-t-il en passant son bras autour des épaules de Ruth.

La maîtresse de maison tourna vers son mari un regard mélancolique et étrangement fixe, puis elle eut un clignement de paupières en signe d'assentiment.

— Il me semble bien reconnaître ta voix,

Fred, même si je suis toujours profondément bouleversée.

Le major objecta :

— Compte tenu de sa mauvaise vue, je crois qu'un habile comédien, connaissant parfaitement son rôle, serait à même de donner le change.

— Et Pénélope ? Elle était ici une année entière avant mon départ. Et tu n'as jamais consulté d'oculiste, ma petite, hein ?

La jeune fille, qui semblait perdue dans ses pensées, ne répondit qu'après un temps, avec une note d'espièglerie dans la voix :

— Non, oncle Fred. J'ai une très bonne vue. Tu as pris un coup de vieux depuis, c'est certain. Tu as aussi sacrément maigri et tu portes maintenant la barbe. Mais à part ça, je crois bien que tu n'es pas quelqu'un d'autre !

Foster dévisagea un moment la jeune fille avec un étrange sourire, à la fois ironique et amusé.

— Merci, dit-il avant de se tourner vers le Dr Hugues. Enfin si besoin était, il y a encore notre cher médecin de famille. Docteur, quel est votre diagnostic ? Suis-je bien moi-même ?

Embarrassé, Paul Hughes rajusta machinalement ses lunettes, son regard n'effleurant qu'un court instant le visage de Foster.

En vérité, il n'avait jamais été longtemps en contact avec l'entomologiste, ayant toujours pris soin de l'éviter. Du reste, jouissant d'une excellente santé, celui-ci ne l'avait jamais consulté. Les hommes s'étaient parfois croisés, mais sans plus. Ou Foster restait enfermé dans son bureau, ou il était parti pour quelque réunion. Le représentant de la faculté répondit avec prudence :

— Je crois que Mr Foster a très bien répondu aux questions qui lui étaient posées, à une ou deux imprécisions près, ce qui me semble quand même assez naturel.

Foster s'inclina de manière un peu théâtrale.

— Je vous remercie, docteur. Cependant, je déplore que ce soit vous qui veniez m'apporter le plus franc soutien, vous, le plus étranger de la maison, enfin si je puis m'exprimer ainsi, car il est vrai que vous faites un peu partie de notre famille, depuis le temps que vous vous occupez de Ruth...

Paul Hugues rougit jusqu'à la racine des cheveux. Il ouvrit la bouche pour parler, mais sans succès.

Foster s'empara de son verre de whisky, le porta à ses lèvres, mais le reposa aussitôt, comme frappé d'une soudaine illumination.

— Ça y est, je crois avoir compris, Edwin ! C'est la mort de mon associé qui a fait naître ces soupçons ! En apprenant qu'il me ressemblait, vous vous êtes dit qu'il pouvait y avoir eu substitution de personnes ! Que je pouvais donc être ce Peter Thomson, un opportuniste de la pire espèce, qui se serait débarrassé de son compagnon et aurait attendu plusieurs années pour prendre sa place. Est-ce exact ?

Silence.

— Pas de réponse, bonne réponse, reprit Foster. Mais il y a plusieurs failles dans votre théorie. Et non des moindres. Comment aurais-je fait pour répondre aussi précisément à toutes ces questions ?

Le major réfléchit avant de répondre :

— On peut apprendre pas mal de choses en un an de vie commune, surtout dans un isolement aussi profond que celui qui fut le vôtre dans la jungle. D'ailleurs figurez-vous qu'un cas semblable s'est produit en Cornouailles il y a quelque quinze ans, en la personne d'un soldat qui venait de retrouver sa femme après plusieurs années d'absence. Or, un de ses compagnons d'armes tué au combat lui ressemblait singulièrement. Pour des raisons diverses, on a envisagé la possibilité d'une substitution de personnes, et je ne pourrais même plus vous dire s'il s'agissait d'un imposteur. Mais on s'est posé la question durant un bon bout de temps.

Foster secoua la tête en souriant.

— Bon, admettons, encore que je croie avoir désormais fait la preuve de mon identité. L'autre point, c'est mon associé Peter Thomson. Il me ressemblait certes, mais pas trait pour trait ! D'ailleurs le bon sens le plus élémentaire rejette une coïncidence aussi extraordinaire.

— Auriez-vous une photo de lui ?

Foster se caressa la barbe.

— Euh, non... je ne crois pas. Je vous rappelle que j'ai perdu presque tous mes papiers là-bas.

— Presque tous, oui, convint le major. Mais allez savoir, il y a toujours quelque chose qui traîne entre les pages d'un carnet de notes. Bon, je ne vous ferai pas mijoter plus longtemps, car nous avons trouvé ceci.

Il fit apparaître la photo remise par Bates et la posa sur la table. Elle représentait un homme d'âge moyen, en tenue d'explorateur, portant un sac à dos et armé d'une machette, debout au bord d'une rivière, en pleine jungle. Le major toussota puis reprit :

— Il me semble acquis que cette photo a été prise dans l'hémisphère Sud et que l'homme en question vous ressemble énormément. C'est même à s'y tromper. Qu'en pensez-vous ?

— Oui, c'est bien moi. Mais diable si je me souviens quand cela a été pris !

— En juillet 34, c'est marqué au verso. On y a également noté, l'endroit, Manaus, et le nom de la personne. Mais lisez vous-même, ajouta le Dr Hugues en lui tendant le cliché.

— Peter Thomson... bredouilla le professeur, l'air parfaitement stupéfait.

Il y eut un silence de mort. Puis le major ajouta :

— Vous affirmez toujours qu'il ne vous

ressemblait pas trait pour trait ? À mon humble avis, cette photo semble plutôt prouver le contraire : *votre associé était votre parfait sosie !*

7

UNE PORTE S'OUVRE

1er septembre

Le Dr Alan Twist et l'inspecteur Hurst s'étaient arrêtés dans une auberge de la ville thermale de Geart Malvern. Le premier était un homme approchant de la soixantaine, grand et très maigre, portant de superbes moustaches rousses. Il jetait régulièrement des coups d'œil par-dessus son pince-nez, en direction de son vis-à-vis, dont la mauvaise humeur était manifeste.

Corpulent et sanguin, le policier ne cessait de dégager sa mèche rebelle qui s'obstinait à lui barrer le front. L'architecture n'était pas son violon d'Ingres. Archibald Hurst avait suivi son ami simplement pour se changer les idées et respirer l'air frais de la campagne. Il avait donc répondu oui à sa proposition de faire un petit séjour dans l'ouest du pays, mais à présent, il le regrettait déjà. Ces deux heures passées dans l'ancienne abbatiale lui avaient semblé une éternité, tandis que son compagnon ne tarissait pas d'éloges sur sa nef romane, ses vitraux et ses carreaux de faïence incrustés dans la clôture du cœur. Une véritable torture pour ses nerfs ! Il en était ressorti avec des fourmis dans les jambes.

— Croyez-moi si vous voulez, Twist, mais il me tarde de retourner à Londres !

— Pour y retrouver la pègre de la capitale ?

— Si vous voulez. Je préfère encore traquer les criminels que rester enfermé comme une momie dans un sarcophage de vieilles pierres !

Un éclair de malice brilla derrière le pince-nez du détective.

— Vous savez, Archibald, vous n'avez rien d'une momie.

Le policier fonça le sourcil, jeta machinalement un coup d'œil sur le tissu tendu de son gilet au niveau de l'estomac, puis repartit avec véhémence :

— Et vous, rien d'un saint.

— Plaît-il ?

— Oui, vous pourriez difficilement prêcher l'abstinence, après avoir englouti votre quatrième sandwich en moins d'un quart d'heure.

Twist eut une moue évasive.

— Vous n'ignorez pas que ma matière cérébrale a besoin d'un minimum de nourriture pour fonctionner.

— Et pour quoi faire, ici ? Il ne se passe strictement rien dans ces bleds perdus, où le moindre accident de bicyclette est considéré comme l'événement du mois. On est bien loin de nos ingénieux criminels londoniens...

— Vraiment, je vais finir par croire qu'ils vous manquent ! Mais dites-moi, Archibald, savez-vous quelle est la plus grande qualité de l'homme ? Celle qui, dans le malheur, lui permet de recouvrer ses indispensables forces morales ?

Le policier porta un doigt boudiné à ses lèvres, songeur, puis, comme un élève venant de trouver *in extremis* la réponse à une question difficile, il s'exclama :

— L'espérance !

— Non, l'oubli. Même si la pire des catastrophes lui tombe sur la tête, il finira par l'oublier, par tout recommencer, tout reconstruire, malgré le malheur qui le guette.

— À quoi pensez-vous, exactement ?

— Aux volcans, aux tremblements de terre, aux raz de marée. Les années passent, on relève les ruines, on oublie, puis le drame ressurgit et répand le malheur dans des flots de lave et de boue.

L'inspecteur Hurst s'enquit avec un regard plein de hauteur :

— Cela est-il censé avoir un rapport avec moi ?

— Oui. Combien de fois avez-vous affirmé qu'il suffisait simplement d'évoquer le malheur pour le provoquer ? Alors, seriez-vous inconscient ou auriez-vous oublié ce que des années d'expérience vous ont enseigné ? Dès que vous vous mettez à parler de ces histoires de meurtriers retors, de ces affaires fumeuses qui vous empoisonnent l'existence, elles vous retombent invariablement sur le coin de la figure ! Et ensuite, lorsque vous vous débattez en eaux troubles, vous venez pleurer dans mon gilet pour que je vous prête main-forte.

Désappointé, la mèche rabattue sur les yeux, Archibald Hurst finit par éclater de rire.

— Non, vraiment, c'est trop drôle ! Et c'est vous qui me dites ça, Twist. Vous, l'esprit le plus cartésien du royaume, qui soutenez maintenant, en quelque sorte, que la position des astres peut avoir une influence sur le cours des événements !

— N'exagérez rien : je n'ai jamais mis la raison devant le cœur, ni raillé l'inexplicable...

— Vous devriez faire la diseuse de bonne aventure dans les foires, affirma le policier entre deux hoquets de rire. Vous feriez fortune, ma main à couper !

Le vieux détective haussa les épaules et dit, philosophe :

— Bon, si c'est comme ça, je vais commander un autre sandwich.

— Je vous vois très bien, avec une perruque et un fichu chamarré sur la tête, devant une boule de cristal, en train d'expliquer d'un air sinistre : « Attention, le malheur est à votre porte ! regardez-la bien, elle va s'ouvrir, et alors... il sera trop tard ! Vous ne pourrez plus vous extirper de l'inextricable imbroglio que le destin vous a préparé. Votre raison va être mise à rude épreuve durant sept jours et sept nuits... »

Hurst ne dit pas un mot de plus. La porte de l'auberge venait en effet de s'ouvrir assez brusquement. Le policier ne bougea plus quelques instants, le doigt tendu vers le battant qu'il désignait à l'appui de sa démonstration. Puis il marqua un nouveau mouvement de surprise après avoir dévisagé le nouveau venu, qui tenait une mallette de cuir.

C'était un homme de petite taille, maigre et efflanqué dans un costume de tweed taillé un peu trop large pour lui. Il avait les cheveux raides et les tempes nouées de veines. Son œil vif ne tarda pas à remarquer le policier de Scotland Yard. Son visage s'éclaira et il se dirigea vers les deux compagnons.

— Archibald Hurst ! s'exclama-t-il. Quelle bonne surprise ! Je ne m'attendais vraiment pas à vous rencontrer ici, depuis tout ce temps !

L'inspecteur le salua avec chaleur, puis fit les présentations. Mike Waddell était un de ses collègues, qu'il avait connu pendant des vacances en France, une dizaine d'années auparavant. Les deux compatriotes avaient sympathisé, s'étaient revus quelques fois sur le sol anglais, avant que Waddell ne soit affecté dans l'ouest du pays, sa région natale. Depuis, ils s'étaient perdus de vue.

— Chef de la police à Worcester ? fit l'inspecteur de Scotland Yard avec un sifflement admiratif. Eh bien Waddell, on peut dire que vous avez fait votre chemin !

— Je n'ai pourtant pas acquis votre réputation, Archibald. Vous passez, et à juste titre j'en suis sûr, pour un des plus fins limiers du royaume.

— N'exagérons rien, répondit Hurst en s'efforçant à la modestie. Cette réputation, je la dois en partie à mon ami ici présent. Il n'est que détective amateur, mais il a le don de me mettre sur la voie, même s'il ne réalise pas toujours la portée de ses remarques.

— Je connais aussi le Dr Twist de réputation, dit Waddell en souriant. Mais puis-je vous demander ce que vous faites dans le secteur, messieurs ? Seriez-vous ici en service commandé ?

— Non, simples touristes ! répondit Hurst comme à regret.

— D'ailleurs notre prochaine étape est Worcester, intervint Twist. Mon ami ne veut pas quitter la région sans avoir visité sa cathédrale et son musée de porcelaines.

— Formidable ! s'exclama Waddell. Alors nous aurons l'occasion de nous revoir !

— Nous en serions très heureux. Mais peut-être nous feriez-vous l'honneur d'être notre invité ce soir ? s'enquit poliment Twist.

Le chef de la police de Worcester hocha la tête en regardant sa mallette déposée sur une chaise voisine.

— Ce soir, hélas ! ce n'est pas possible. J'ai une délicate mission sous le coude. Une affaire très singulière qui trouvera son dénouement dans quelques heures, grâce au contenu de cette mallette.

— Diable, fit Twist en rajustant son pince-nez.

Waddell jeta un coup d'œil à la pendule du bar, qui marquait 18 heures, puis dit d'un air pensif :

— J'ai encore un peu de temps devant moi. Je peux vous en dire deux mots, si cela vous intéresse...

Durant le quart d'heure suivant, le Dr Twist et l'inspecteur du Yard ne pipè-rent mot, écoutant attentivement leur inter-locuteur, qui leur narra par le menu l'étrange problème posé par le retour du professeur Foster. Son récit correspondait globalement à tout ce qui a été évoqué jus-qu'ici.

— C'est donc cette fameuse photo qui est à l'origine de tout, conclut Mike Waddell, qui avait manifesté une nervosité croissante au fil de son exposé. Les explications de Foster à son sujet ne satisfirent qu'à moitié ses proches, ce qui poussa certains d'entre eux à venir me faire part de leurs soupçons.

— Et quelle explication a avancé notre « suspect » ? s'enquit Twist.

— Il s'est soudain souvenu de la photo et des conditions dans lesquelles son associé fut amené à y inscrire les précisons au recto. Cette photo est donc bien la sienne, mais il en existait une autre de Peter Thomson. Les choses se seraient faites à la hâte, à cause d'un orage qui menaçait. Ledit Peter Thomson aurait porté l'annotation sur sa propre photo, sans se rendre compte que les deux feuilles étaient légèrement collées, si bien qu'il aurait écrit sur le dos de l'autre sans s'en rendre compte. Foster l'aurait remarqué par la suite, tout en jugeant la méprise trop insignifiante pour la rectifier. Qu'en pensez-vous ?

— Plausible, commenta pensivement le Dr Twist. Mais compte tenu des circonstances...

— Je ne vous le fais pas dire, grinça Waddell. Cette affaire est un véritable guêpier. Mener une enquête sur ce Thomson me paraît difficile, d'autant plus que son corps a totalement disparu au cours de cette inondation. En outre, ce devait être une sorte d'itinérant, car la police brésilienne, qui vient de me câbler, ne lui connaît ni de famille ni de relations proches. Bref, il n'y a pour ainsi dire aucun espoir à attendre de cette piste. Tous nos efforts devront donc se concentrer sur l'entomologiste...

— C'est incroyable ! tonna Hurst après avoir pris une rasade de bière. On ne change quand même pas tant que ça en trois ans ! Et vous dites qu'aucun de ses proches ne serait en mesure de l'identifier formellement ?

— Comme je vous l'ai signalé, c'est cette ressemblance parfaite de l'associé qui sème le doute, si l'on se réfère à la photo, et en supposant donc que l'annotation ne soit pas le fait d'une méprise. Au vrai, tous pensent qu'il s'agit du bon Foster, mais il reste ce petit doute, qu'ils aimeraient bien faire disparaître à jamais, le professeur y compris.

— Comment prend-il les choses ?

— Avec beaucoup de décontraction, et même avec un certain humour. Il semble très sûr de lui.

— Comme tous les imposteurs, grinça l'inspecteur Hurst.

— En somme, la situation n'est pas aussi délicate que cela, réfléchit le Dr Twist.

— Sur un plan purement judiciaire, non. Car nous saurons ce soir même à quoi nous en tenir. C'est l'aspect sentimental de cette histoire qui complique les choses.

— Foster sait-il que sa femme comptait se remarier ?

Waddell passa la main sur son front moite et répondit :

— On l'ignore. J'ai estimé que ce n'était pas à moi de lui en parler. Je ne sais pas comment vous expliquer ça, mais il y a une curieuse ambiance dans cette maison, faite de craintes sourdes, de sentiments cachés, et d'attente. Une attente qui dure depuis deux semaines, à présent. D'ailleurs à ce propos, comme je vous le disais, les choses vont être définitivement clarifiées ce soir, puisque je suis attendu là-bas avec ma précieuse mallette.

— Qui contient ?

— La preuve suprême, qui confondra de façon formelle notre suspect s'il s'agit d'un imposteur : un jeu d'empreintes digitales de Frederick Foster. J'ai passé la journée dans le comté d'Oxford pour récupérer ce dossier. C'est le seul qui nous reste. Celui de l'hôtel de ville de Hereford a été jeté par mégarde.

Twist, qui venait d'allumer sa pipe, rendit une mince filet de fumée, puis se tourna vers Waddell.

— Alors, faites bien attention de ne pas perdre celui-ci !

Le chef de la police tapota sa mallette et dit d'un ton qui se voulait confiant, mais quelque peu démenti par la nervosité de ses gestes :

— Bien entendu. Faites-moi confiance. Je vous tiendrai au courant. Téléphonez-moi demain au commissariat pour me dire où je puis vous joindre. Vous m'excuserez, mais il faut que j'y aille, à présent.

Après avoir salué ses compagnons, Mike Waddell traversa la salle d'un pas pressé et sortit.

Les derniers rayons du soleil, décomposés par les petits carreaux de la fenêtre, conféraient une couleur d'ambre au visage des détectives, tout en soulignant leurs rides perplexes.

— Qu'en pensez-vous, Twist ? s'enquit le policier en tenant fermement sa chope de bière.

— Cette affaire ne me dit rien qui vaille. Elle me rappelle par trop le cas Malleson. Vous souvenez-vous ?

— Bien sûr. Comment l'oublier ? Avec ces cris terrifiants de la sirène, qui frappaient mortellement tous ceux qui ne les entendaient pas [1] !

— On ne peut pas dire que son épilogue fut particulièrement heureux. Enfin espérons que ça se passera mieux pour notre ami.

1. Voir *Le Cri de la sirène*, le Masque numéro 2378.

8

LA MALLETTE

La pendule du salon venait de sonner 8 heures. Comme la soirée était encore douce, on avait laissé ouvertes les portes-fenêtres donnant sur la terrasse. La petite assemblée attendait ; avec appréhension, pour Ruth et Pénélope, ou avec une certaine maîtrise de soi, comme le major et le Dr Hugues ou encore Bates, chargé d'assurer le service ce soir-là, car sa femme souffrait d'une migraine. James ne tenait pas en place, excité comme si tout le monde allait participer à un jeu fort distrayant. Vêtu d'un élégant costume crème, le professeur Foster semblait en revanche parfaitement détendu. Accoudé au rebord de la terrasse, il fumait une cigarette en émettant des ronds parfaits vers le ciel.

Installée dans un fauteuil d'osier, Ruth paraissait perdue dans la contemplation de la tombée de la nuit. Elle portait une jupe assez courte et un boléro en tricot rose, qui lui seyaient à ravir. Ses mains jouaient nerveusement avec la fermeture de son petit sac. Pénélope, vêtue d'une robe de coton-nade assez légère, conversait avec le Dr Hugues. James, incapable de rester immobile, ne cessait de faire des va-et-vient entre les deux pièces. À un moment donné, l'enfant fit tomber la grande plante verte à côté de sa tante, et se fit rappeler à l'ordre par le major, qui finit par dire :

— Décidément, il est grand temps que cette affaire se termine, car tout le monde a les nerfs en pelote ! Et même moi, je l'avoue.

— Est-ce que je vous donne aussi cette impression, Edwin ? s'enquit Foster sans se retourner.

— Avouez quand même que vous n'êtes pas tout fait tranquille.

Le maître des lieux répondit sans se retourner :

— Peut-être, mais pour d'autres raisons.

— En tout cas, cela ne se voit pas ! lança Pénélope qui se fit fusiller du regard par le major.

— J'ai horreur de faire partager mes sou-cis, voilà tout. J'ai toujours fait mienne l'idée qu'on ne devait partager que les bons sentiments, les joies et la bonne humeur, et non les problèmes qui vous pèsent sur le cœur. N'est-ce pas, Bates ? demanda-t-il au domestique qui venait de lui apporter un whisky.

— Certainement, monsieur.

— Alors, ça fait au moins une personne qui est d'accord avec moi, ici.

Un silence accueillit ces mots qui invitaient pourtant à la réplique.

— Si je tiens ce raisonnement, poursuivit-il, c'est parce que je suis un homme qui a pris des coups durant sa vie. Oui, j'ai beaucoup souffert... Souffert durant ces trois longues années dans la jungle, passées à lutter pour vivre, à me morfondre, à m'interroger, à me poser mille questions sur les choses, sur les êtres, et la vie en général.

Il s'interrompit en entendant un lointain ronronnement de moteur, qui se précisa jusqu'à ce qu'on perçoive un crissement de pneus sur l'allée de gravier.

— Ah ! Ce doit être Waddell, reprit-il en se tournant vers le major. Alors, Edwin, vous prenez le pari ? Usurpateur ou pas ?

L'ancien militaire réfléchit un instant, puis proposa :

— Menteur ou pas menteur ?

Foster sourit, puis haussa les épaules.

— Tout le monde ment toujours un peu. Sinon, la vie serait difficilement supportable.

La sonnette de l'entrée retentit à cet instant. Peu de temps après, Mike Waddell faisait son apparition. Le visage avenant, il souriait, mais d'un sourire crispé. Il salua l'assemblée, tout en gardant sa mallette à la main.

— Savez-vous que j'ai jadis connu votre père, Foster ? s'enquit-il d'un ton jovial.

— Non, mais cela ne m'étonne pas. Il aimait à s'entourer d'amis influents.

— Voyez-vous, à l'époque, je n'avais pas encore fait ma carrière dans la police, ni lui la sienne. Nous étions encore de très jeunes gens, mais je me souviens qu'il rêvait déjà de grands horizons et d'exotisme, qu'il était très ambitieux.

— Oh ! ça, je veux bien vous croire !

— Le lui reprocheriez-vous ?

— Non, je le décris simplement tel qu'il était. Il s'était toujours consacré à ses affaires, au point d'oublier tout ce qui l'environnait, y compris les êtres qui lui étaient chers. Il se donnait toujours à fond dans ses projets.

— Oui, et il a bien réussi, mais cette frénésie du travail a fini par lui être fatale. Il est parti assez jeune, n'est-ce pas ?

— La veille de ses 45 ans. Ma mère, inconsolable, l'a suivi peu de temps après. Nous n'étions revenus des Indes que depuis quelques années. Enfin tout ceci est une vieille histoire, qui n'a, je suppose, aucun lien avec l'affaire qui vous préoccupe, monsieur Waddell ?

— Euh... non, bien sûr. Si je vous ai parlé de votre père, c'est parce que je me demandais quelle aurait été sa réaction s'il avait su qu'un jour, je serais amené à faire une si étrange démarche pour son fils.

Foster vida son verre, le posa, puis partit d'un rire sonore :

— En effet, dit-il. Je crois qu'il aurait quand même levé quelques instants le nez de ses cahiers de comptes pour... connaître le mot de la fin. Mais avant cela, monsieur, vous prendrez bien quelque chose à boire ? À moins que vous ne soyez trop pressé ?

Waddell s'éclaircit la voix.

— Mais non, voyons, j'ai tout mon temps. Nous ne sommes plus à quelques minutes près.

— Je suppose que ces fameuses preuves sont dans votre mallette ?

— Oui, ainsi qu'un tampon encreur pour prélever vos empreintes. La seule chose que je me permettrai de vous demander, c'est un chiffon pour essuyer les doigts.

— Bates va s'occuper de cela.

La précieuse mallette fut déposée sur la table en osier de la terrasse, au milieu des verres que venait de rapporter le domestique. Tout le monde avait commandé à boire, avec une préférence pour les alcools forts. Même Ruth, qui se contentait habituellement d'un doigt de porto, demanda à Bates de lui préparer un whisky à l'eau de Seltz. On sentait la tension monter, comme les légers bruits nocturnes alentour. Les dernières lueurs du jour venaient de disparaître. Les lanternes de la terrasse, accrochées au treillage qui faisait office de toiture, perçaient difficilement les ténèbres, ne dessinant qu'imprécisément le feuillage des haies et des premiers arbres du verger.

Lorsque tout le monde fut servi, Foster proposa non sans malice de porter un toast à la « vérité ». Tout le monde s'empressa de trinquer, en riant un peu nerveusement, mais cela contribua à détendre l'atmosphère, et la discussion s'orienta une nouvelle fois sur les exploits de l'aventurier. Très en verve, il évoqua ses souvenirs avec un humour qui allait *crescendo*. Le ton fut encore plus chaud après une deuxième tournée servie par Bates, et les yeux de la petite assemblée brillaient dans la clarté parcimonieuse des lanternes, comme le chatoiement des alcools ambrés dans les verres.

Il y eut soudain un incident. Un faux mouvement fit basculer le siphon d'eau de Seltz, qui se brisa sur les carreaux de la terrasse. Tout le monde se leva, le temps que Bates enlève les débris et passe la serpillière. Puis Ruth, qui s'était remise dans son fauteuil près de la porte-fenêtre, poussa un cri perçant.

— Aïe ! quelque chose m'a piqué la jambe !

Son mari alla la rejoindre. Après un moment de réflexion, il dit en désignant la grande plante en pot sur le côté :

— Bah, tu as dû t'égratigner à une épine ou à une plante.

— Non, je ne pense pas. Ça a été si soudain.

Frederick Foster considéra un instant les jambes de sa femme, puis sourit.

— Si tu ne t'étais pas habillée aussi légèrement, cela ne serait pas arrivé...

— Oncle Fred ! s'écria soudain Pénélope, qui se raidit comme une statue.

— Oui, ma chérie ? s'enquit le professeur en se retournant vers la jeune fille, debout près du bord de la terrasse. Qu'y a-t-il ?

— Mon pied...

— Comment ? Ne me dis pas que tu as été piquée toi aussi ?

— Non, mais quelque chose est passé sur mon pied.

— Quoi, quelque chose ? Un autre pied ?

— Non, quelque chose de léger et de soyeux...

Avisant les sandales légères de la jeune fille, il dit :

— Ce doit être Brutus, le chat des voisins.

— Non, il est trop gros !

— Alors je ne sais quel insecte ! Vous êtes pénibles, à la fin ! Si vous vous habilliez comme il faut, cela ne se produirait pas ! Oui, regarde-toi, Pénélope, avec tes sandales et ta petite jupette ! On dirait une courtisane romaine, sous le soleil de Capri ou de Pompéi, alors que nous sommes en Angleterre et que l'été touche à sa fin, et que...

La jeune femme ne semblait pas l'avoir entendu. Les yeux arrondis d'étonnement, elle fixait un point du sol près de la maîtresse de maison. Sa bouche s'ouvrit lentement en même temps qu'elle tendait un index tremblant.

— Là... bredouilla-t-elle. Regardez... il y a...

Tous les regards convergèrent vers l'endroit désigné et l'assemblée retint son souffle. Une ombre rampante grosse comme un poing venait de passer sous les jambes croisées de Ruth, et de disparaître derrière le pot.

Pénélope poussa alors un cri strident, presque semblable à celui qui avait ponctué son cauchemar la semaine précédente. Puis la voix sèche de Foster s'éleva :

— Ruth, mon Dieu, surtout ne bouge pas !

— Mais que se passe-t-il ? gémit la maîtresse de maison en jetant des regards désespérés autour d'elle. J'aimerais bien qu'on m'explique...

— Une de mes araignées s'est échappée, répondit Foster, hagard. Elle est tout près de toi. Ne bouge pas... Surtout ne bouge pas... Bates, allez chercher quelque chose ! Un chapeau, un drap, une couverture, n'importe quoi, vite !

Se baissant devant les jambes tremblantes de sa femme, il constata alors qu'une goutte de sang perlait à sa cheville.

Livide, il murmura :

— Mon Dieu ! Dr Hugues, votre trousse, vite, car j'ai peur que...

Il ne put terminer sa phrase. Pénélope avait poussé un second cri strident, alors que le major venait de lui montrer une autre araignée sous la table.

La peur s'empara dès lors du petit groupe. Foster, qui ne savait plus où donner de la tête, hurlait des ordres pour qu'on rattrape ses araignées, sans lanterner mais aussi en faisant preuve de la plus grande prudence, et il somma le Dr Hugues d'aller chercher à la fois sa trousse de médecin et un contre-poison.

Prise de panique, Ruth se leva soudain. Elle s'enfuit à toutes jambes et dévala les quelques marches de la terrasse. Manquant la dernière, elle tomba dans l'allée de gravier. Elle se releva aussitôt pour repartir de plus belle. La confusion et l'affolement atteignirent alors leur paroxysme. Lorsque le Dr Hugues et Foster parvinrent à rattraper la jeune femme, ils lui firent un garrot de fortune au mollet. Le médecin s'en fut chez lui au pas de course afin de rapporter le contre-poison.

Comme nul ne retrouva les araignées, Foster eu l'idée d'aller dans son bureau pour jeter un coup d'œil sur les cages de ses protégées. Lorsqu'il revint dans le salon, il croisa le major, qui n'avait toujours pas trouvé la trace des fugitives.

— J'ai ordonné à James de ne pas quitter sa chambre, haleta l'ancien militaire. Il était trop excité pour nous être utile, et je ne voulais pas courir le moindre risque. Il n'a pas voulu m'écouter, mais une gifle bien sentie l'a rendu obéissant.

— Vous avez bien fait, approuva Foster. Mais plus de peur que de mal. Il n'y a que deux araignées qui ont disparu de leur cage, et ce sont fort heureusement les moins dangereuses du lot. Elles sont pour ainsi dire inoffensives, même en cas de morsure franche. Mais au fait, où est Ruth ?

— Dans la cuisine, avec Waddell.

— Venez, allons les prévenir.

Un quart d'heure plus tard, le calme était revenu à Black House. Le Dr Hugues, livide, avait appris avec soulagement la nouvelle. Il avait ensuite pu constater l'absence d'enflure ou de coloration suspecte à la cheville de Ruth, qui ne souffrait d'aucun malaise particulier. Une des deux araignées avait été capturée par le policier, qui l'avait prise au piège avec l'abat-jour d'une lampe. Quant à celle qui courait toujours, elle était quasiment inoffensive. Le petit James fut même autorisé à reprendre ses recherches.

Il n'était pas loin de 10 heures quand le groupe se retrouva sur la terrasse. Mais la nuit s'étant rafraîchie, on décida de rentrer dans le salon. Waddell, qui avait repris sa mallette, déclara :

— Je crois qu'il est grand temps, maintenant, de nous livrer à notre petite expérience. Vous êtes prêt, Foster ? Je suppose que vous ne souhaitez pas la reporter ?

— Bien sûr que non, dit le maître de maison en allumant un cigare. Hormis ma frayeur pour Ruth, ce qui s'est produit n'est qu'un incident mineur. J'en ai vu d'autres ces dernières années, croyez-moi. Faites votre travail, monsieur le policier, qu'on en finisse une fois pour toutes !

Waddell interrompit le geste qu'il faisait pour ouvrir sa mallette et dit à l'entomologiste avec une nuance de raillerie :

— Vous me semblez quand même un peu soucieux, non ?

— Eh bien oui. C'est à cause de mes deux petites pensionnaires. Je n'arrive pas à comprendre comment elles ont fait pour soulever la vitre de leur cage... Mais passons. Je verrai ça plus tard.

Souriant, le policier ouvrit sa mallette et y plongea la main. Puis il fronça les sourcils et il inspecta son contenu en quelques gestes nerveux. Son visage s'assombrit alors franchement. Une veine gonflait anormalement sa tempe lorsqu'il s'adressa à Foster, d'un ton lourd de reproche :

— Le dossier a disparu...

9

LA COLÈRE D'ULYSSE ?

Comme de coutume, Alan Twist fit honneur à la cuisine locale. Il vida non seulement son assiette jusqu'à la dernière miette, mais il commanda plusieurs fois une part de dessert, une succulente tourte aux pommes, jusqu'au moment où la patronne lui annonça qu'il ne lui en restait plus. Waddell, effaré par l'appétit glouton du Londonien, mais apitoyé par son air déçu, lui proposa la sienne, à laquelle il n'avait pas touché. L'éminent détective ne se fit pas prier. Lorsqu'il eut ingurgité cette énième part, il demanda :

— Serait-ce cette affaire qui vous coupe l'appétit, Waddell ?

— Je ne suis pas gros mangeur en temps ordinaire. Mais là, j'avoue avoir l'estomac littéralement noué.

Vingt-quatre heures à peine s'étaient écoulées depuis la disparition du jeu d'empreintes de Foster. Le chef de la police de Worcester avait passé une partie de la nuit, et la journée du lendemain, à tenter de retrouver l'enveloppe qui contenait les précieux indices, mais en vain. Et c'est en proie à un profond découragement que, ce soir-là, il était allé retrouver ses amis à l'auberge où ils venaient de s'installer.

— Et vous êtes bien sûr d'avoir perdu votre dossier à Black House ?

— Oui, pour ainsi dire, car je ne m'étais arrêté en chemin qu'une fois pour passer un coup de fil. Mais j'ai du mal à croire qu'un voleur de passage aurait profité de l'occasion pour faire main basse sur une enveloppe ne présentant aucun intérêt à ses yeux.

— Êtes-vous aussi certain de l'avoir emportée avec vous en quittant Oxford ?

— Absolument. J'ai quand même préféré m'en assurer en passant un coup de fil. On m'a certifié que le dossier n'était plus dans les archives et qu'il n'y avait nulle trace de l'enveloppe.

— Donc, conclut le Dr Twist en sortant de sa poche son matériel de fumeur de pipe, on vous l'a volée hier soir à Black House, entre 20 h 30 et 22 heures.

— Mais bien évidemment, mille tonnerres ! intervint Hurst. Et on connaît même le coupable ! Enfin pourquoi tant de prudence dans vos conclusions, Twist ?

— Parce qu'il faut toujours s'assurer de la solidité des fondations avant de bâtir la moindre théorie. Cela étant dit, Archibald, je partage assez votre avis.

— Bien sûr, c'est ce type qui a fait disparaître ce dossier accablant ! Désormais, il est bien clair qu'il s'agit d'un imposteur. Indirectement, il vient de nous en donner la meilleure des preuves !

— L'ennui, se lamenta Waddell, c'est que maintenant, il sera beaucoup plus difficile de le prouver ! Et je ne peux m'en prendre qu'à moi-même ! J'aurais dû me montrer beaucoup plus prudent. J'avoue m'être un peu laissé endormir par sa désinvolture et son art de raconter les histoires. Admettez que l'incident des araignées en aurait surpris plus d'un. Difficile de contenir la panique que cela a déclenché. Les cris de la jeune fille, ceux de cette femme à demi aveugle qui s'est précipitée dans l'escalier...

— Et tout serait parti de ce siphon renversé ? demanda Hurst, le visage fermé.

— Oui.

— Et vous ne vous rappelez pas avoir vu Foster le pousser ?

— Non. Je mentirais en l'affirmant. N'importe qui d'autre aurait pu le faire en posant son verre ou en faisant je ne sais quel geste maladroit.

— Car tout est parti de là, c'est évident. J'imagine qu'il devait garder ses deux araignées dans une boîte à portée de main. Il lui fut ainsi aisé de les libérer alors que le domestique venait de passer la serpillière, et de prévoir les réflexes de sa femme et de sa filleule, dont la crainte des araignées était notoire. Sans parler d'autres réactions possibles. Bref, il était alors assuré, après vous avoir bercé avec la musique envoûtante de ses souvenirs, de créer un effet de panique suffisant pour lui permettre de glisser la main dans votre mallette et de retirer les preuves accablantes de son imposture. C'est fait en un tournemain.

Mike Waddell soupira :

— Il a même eu tout le temps de le faire avec ce remue-ménage.

— Et la chose qui a piqué le pied de Mrs Foster et qui ne semblait pas être une morsure d'araignée ?

— Le fruit de son imagination, répondit Hurst.

— Non, puisqu'elle a légèrement saigné.

— Un homme qui a assez de ressource pour s'échapper de l'Enfer vert n'aura eu aucune peine à trouver un stratagème pour la piquer discrètement.

— Une aiguille lancée au moyen d'une sarbacane ? s'enquit Twist avec un sourire teinté d'ironie.

— Est-ce vraiment le moment de s'arrêter sur de telles vétilles ? s'énerva Hurst, le visage moite.

— Une fois que les fondations sont achevées, chaque pierre posée doit parfaitement s'imbriquer avec les autres. Faute de quoi, l'édifice risque de s'écrouler tôt ou tard.

— Vous auriez dû entrer dans les ordres, Twist, avec cette manie de parler par paraboles.

— Ne m'aviez-vous pas affirmé récemment que je n'avais rien d'un saint ?

— Si, mais vous ne seriez pas le premier pêcheur à vous convertir.

Après un raclement de gorge réprobateur, Waddell intervint :

— Messieurs, je vous rappelle que la question est de savoir si c'est Foster le pêcheur. D'ailleurs il y a quelque chose qui m'a paru curieux dans son attitude. Il semblait vraiment très inquiet pour ses araignées lorsque nous les recherchions.

— Voyons, fit Hurst, pour un imposteur de cette classe, c'est le B. A. BA de la comédie !

— En tout cas, je ne puis m'empêcher de lui tirer mon chapeau, car il est vraiment très fort. Cet après-midi, j'ai demandé à ses proches de l'interroger une nouvelle fois sur de vieux souvenirs afin de le prendre en défaut, mais il s'en est sorti avec brio. Et il y a encore un point qui me paraît singulier, concernant ses araignées. À propos, on a retrouvé la dernière fugitive, qui s'était cachée dans le panier à pain...

Hurst fit une grimace et repoussa la tourte aux pommes qu'il s'apprêtait à entamer ; le Dr Twist lui réserva le sort qui lui était dévolu.

— La fuite de ses deux protégées peut difficilement avoir été accidentelle, poursuivit Waddell. Car dans ce cas, elles auraient dû soulever le couvercle de leur cage. C'est du verre assez épais, qu'une araignée ne semble même pas être en mesure de bouger. Bref, j'ai du mal à concevoir qu'un homme aussi avisé que lui ait pu commettre une faute aussi grossière, car il avait vraiment tout intérêt à ce que l'incident paraisse fortuit. En outre, c'est Foster lui-même qui a attiré mon attention sur ce point.

— Mais il s'agit évidemment d'une nouvelle ruse de sa part ! s'échauffa Hurst. Une ruse au second degré ! Il comptait précisément que vous teniez ce genre de raisonnement. Tout l'accable, « mais quelque chose ne colle pas ! », vous comprenez ? Sa position est si délicate qu'il en est réduit à des manœuvres aussi alambiquées. Non, ne soyons pas dupes ! Au surplus, le choix même de ces deux araignées, les moins dangereuses du lot, nous orientent encore vers lui. Une erreur à ce niveau aurait pu être fatale, pour les autres comme pour lui-même. Une main profane n'aurait pas été en mesure de sélectionner ces deux spécimens.

— Non, objecta Waddell. Il avait présenté ses nouvelles pensionnaires à toute la maisonnée, et même à certains voisins. Il en était très fier et avait souligné leurs particularités avec force détails. Tout son entourage était donc en mesure de faire le bon choix.

— Vous le croyez donc innocent ? s'enquit Hurst d'un air méfiant.

Waddell pinça les lèvres, tout en jouant avec la cigarette qu'il venait de retirer de son étui.

— Je n'en sais fichtrement rien. Le vol de ce document semble l'accabler, mais d'un autre côté, ses souvenirs sont si précis...

— Si bien qu'entre Frederick Foster et Peter Thomson, votre cœur balance ? acheva Twist.

Après avoir allumé sa cigarette, Waddell sortit un calepin de sa poche.

— J'ai noté là quelques dates importantes de son voyage. Si Thomson a pris sa place, voici comment je vois les choses. Juillet 1933. Départ de Foster, qui fait la connaissance dudit Thomson peu de temps après son arrivée à Rio de Janeiro. Ils embarquent tous deux pour Belem, d'où ils préparent leur expédition. Ils commencent à remonter l'Amazone en janvier 34. En mars, Foster ne donne plus de ses nouvelles, et le « cadavre » est découvert en juin, près d'un minuscule village en amont de Santarem. Il s'agirait donc, selon notre hypothèse, du corps de Foster, assassiné par son compagnon, qui aurait eu ainsi presque une année entière pour lui soutirer tous les renseignements nécessaires à son imposture. C'est envisageable, pour un escroc habile, qui a compris tout le profit qu'il peut tirer de leur incroyable ressemblance. J'ouvre ici une parenthèse pour vous parler de la fortune de Foster. Son père était un des marchands les plus actifs aux Indes, où il avait amassé des sommes fabuleuses. L'héritage qu'il a laissé à son fils, et qui était sur le point d'être débloqué pour sa veuve, est donc très important, et représente même une véritable aubaine pour un aventurier sans scrupule. Autrement dit, le jeu en valait largement la chandelle. Quant à l'inondation qui a emporté le cadavre par la suite, elle est à mon avis purement fortuite, bien qu'un petit coup de pouce de la part de notre imposteur ne soit pas à exclure. Cela ne change en tout cas rien au problème.

— Mais alors, pourquoi avoir attendu si longtemps pour revenir sur la scène ? demanda Hurst. Deux ans dans la brousse, quel calvaire !

— Rien ne nous dit qu'il y soit resté si longtemps. Et il fallait que le temps passe, voyons ! Qu'on l'oublie, que les rides de son visage se creusent, que les traits de la victime s'émoussent dans la mémoire des gens... Et avec une femme à moitié aveugle, ce n'est pas trop difficile. Ni avec un neveu et un oncle perdus de vue depuis un certain temps, ni avec un médecin de famille qui n'avait d'yeux que pour la femme de l'entomologiste, ou encore une filleule qui songeait davantage à plonger son regard dans les yeux de ses amoureux que dans ceux de son parrain.

S'appliquant à émettre une parfaite série d'anneaux de fumée, le Dr Twist déclara :

— Présentés ainsi, les faits semblent davantage étayer la thèse de l'usurpateur.

— Oui, mais je ne sais plus que penser, ni que faire, dit Waddell sans cacher son pessimisme. La perte de ces documents me laisse sans réaction, au point que je me permets d'en faire appel à vous, messieurs.

— Malheureusement, trancha Hurst, notre séjour s'achève après-demain. Ce qui ne nous laisse guère de temps, vous en conviendrez, pour tirer tout ça au clair. (Puis, en posant une main réconfortante sur le bras de Waddell :) Entre nous, Mike, l'affaire me semble entendue, et je gage que vous aurez tôt fait de confondre cet aventurier. Il finira par craquer, vous verrez.

Waddell ne parut pas franchement convaincu et demanda :

— Et vous, Dr Twist, quel est votre avis ?

L'éminent détective observa un long silence avant de répondre, le visage grave :

— Je n'aime pas beaucoup cette histoire, ce retour d'Ulysse, pour reprendre la comparaison de notre aventurier. Heureux qui comme Ulysse a fait un long voyage ? Il fut plutôt malheureux, en l'occurrence, puisque sa femme n'a pas été aussi fidèle que dans le mythe. Il y a donc toutes les raisons d'être furieux et d'imiter le grand Ulysse, qui, rappelons-le, n'a pas hésité à éliminer les prétendants de son épouse jusqu'au dernier.

10

LA TOILE DE PÉNÉLOPE

4 septembre

La journée avait mal débuté, et la veille avait également été houleuse. En fait, le maître des lieux était de fort mauvaise humeur depuis la disparition du précieux dossier, trois jours auparavant. Si la police perdait ses fichiers en cours de route, clamait-il, c'était son affaire ! Ces soupçons de vol, dirigés contre sa famille en général, et lui en particulier, lui semblaient malséants. Cette hypothèse d'imposture lui avait paru d'abord comique, tant elle semblait saugrenue, mais à présent, il la considérait comme offensante. D'ailleurs, il refusait désormais de répondre à toute question sur ses vieux souvenirs. La plaisanterie a assez duré, disait-il haut et fort. Il avait à faire, à s'occuper de choses plus sérieuses. Le milieu scientifique attendait avec impatience le compte-rendu de ses observations et de ses découvertes.

La veille, en milieu de matinée, alors qu'elle était en train de balayer le couloir,

Charlotte Bates avait vu Foster entrer dans la chambre de sa femme. Elle n'avait pas perçu les échos d'une querelle, mais la voix de son maître lui semblait singulièrement assourdie, comme quelqu'un qui tente de juguler sa colère. Ce n'était qu'une impression, car elle n'avait pas suivi leur conversation. Il lui sembla cependant avoir entendu quelques remarques éplorées de Mrs Foster. Peu après le départ de l'entomologiste, elle était entrée dans la chambre de sa maîtresse pour y faire le ménage. Elle avait trouvé celle-ci installée dans son fauteuil, sanglotante et le visage enfoui dans ses mains.

Après le passage du facteur, le professeur avait demandé à Bates d'aller réveiller Pénélope pour qu'elle vienne dans son bureau sans tarder. Un peu plus tard, le majordome passait incidemment devant la porte de cette même pièce. Malgré lui, il avait perçu quelques bribes des vives remontrances que Foster adressait à sa nièce, qu'il comparait davantage à la cigale de la fable qu'à la fourmi. « ... plutôt songer à travailler au lieu de s'amuser... prélasse comme une reine au milieu de sa cour... papillon de nuit qui batifole de droite à gauche... Oui, ma chère : Pénélope rime avec sal... »

Bates ne s'était pas permis d'écouter la suite et avait poliment passé son chemin. La mine renfrognée de la maisonnée lors du déjeuner confirmait le climat orageux du matin. En fin d'après-midi, le Dr Hugues quittait Mrs Foster au terme de sa visite quotidienne. Le majordome l'avait entendu échanger quelques mots dans le couloir avec l'entomologiste. Il n'avait perçu que le nom d'« Hippocrate », mais il était manifeste que leur courte conversation était exempte de toute aménité. En croisant le Dr Hugues qui prenait congé, il avait été frappé par la pâleur de son teint.

Peu de temps après, Barbara Sanders avait sonné, pour dire que son père souhaitait s'entretenir avec Foster et qu'il pourrait le trouver chez lui l'après-midi. L'aventurier avait répondu à l'invitation de son voisin. Il était parti d'assez bonne humeur, mais en rentrant une heure plus tard, Bates n'avait manqué de remarquer son front brumeux.

Ce jour-là, un gai soleil s'était levé sur Royston, mais la chaleur de ses rayons ne parvint guère à réchauffer les cœurs, du moins à Black House. En milieu de matinée, Bates aperçut Foster et le major Brough dans la véranda, alors que tous deux venaient de faire le tour de la propriété. Il se garda bien de prendre part à leur discussion. Le major, écarlate, écoutait en silence les remarques du maître de maison :

« D'accord, le coin est très pittoresque et ces fougères font le charme de ce jardin... mais vous comprenez, moi, les lianes et la forêt vierge, j'en ai soupé ! Et cette maison a besoin de clarté ! Il faudrait raser ces taillis et ces arbres, bref, faire en sorte qu'on voie de nouveau le soleil ! »

Peu avant midi, Bates revit le major, à sa table dans la véranda, en train de s'adonner, comme de coutume, à sa passion favorite. Deux fois de suite, le château de cartes s'écroula avant d'être achevé, ce qui était exceptionnel.

Le déjeuner ressembla à s'y méprendre à celui de la veille. Pas un mot ne fut échangé. On aurait pu entendre une mouche voler. James se leva le premier de table. Puis ce fut au tour de Foster. Il était alors 13 heures.

Lorsque l'entomologiste posa la main sur la poignée de la porte, il fronça les sourcils. Un étrange tremblement résonnait dans son bureau. En entrant, il aperçut James aux prises avec la commode.

— Aurais-tu besoin d'un coup de main, mon petit ? demanda-t-il sur un ton de vive remontrance.

— Je n'arrive pas à ouvrir ce tiroir.

— Ce ne sont pas tes affaires. Qu'est-ce que tu cherches ?

— Ma maquette de Gulliver. Je sais qu'elle est là-dedans, fit le garçon en s'obstinant à secouer la poignée du meuble.

— Laisse ça tranquille ! tonna l'aventurier. Combien de fois t'ai-je dit de ne plus mettre les pieds ici durant mon absence !

— Eh bien, tu es là, maintenant, oncle Fred !

95

L'interpellé sourit malgré lui.

— Oui, mais j'ai envie de me reposer. Alors tu vas bien sagement sortir d'ici, et je te prierais dorénavant de ne plus considérer cette pièce comme ta salle de jeux personnelle, mais comme mon bureau de travail.

— Bien, oncle Fred, répondit le garçon d'un air déçu et boudeur. Mais j'aimerais quand même récupérer ma maquette de...

— Une autre fois. Allez, ouste, dehors !

La lippe boudeuse, James lâcha la poignée et se dirigea alors résolument vers la porte, lorsqu'il entendit dans son dos :

— Mais j'y pense, James, toi qui aimes bien fouiner par ici... Ne serait-ce pas toi le coupable ? Tu peux me le dire. Tu sais, je te promets que je ne te gronderai pas.

— À propos des deux araignées ? demanda le gamin en regardant la fenêtre où Pénélope la fileuse avait élu domicile.

— Oui. C'est toi qui as ouvert leur cage, n'est-ce pas ?

Le garçon haussa les épaules.

— Ce n'est pas la peine de me parler comme à un bébé, oncle Fred, avec des promesses de bonbons et tout. Un des policiers m'avait posé cette question en disant qu'il me récompenserait si je lui disais la vérité...

— Et que lui as-tu répondu ?

— La vérité, bien sûr. Et c'était non.

— Tu en es bien sûr ?

— Oui, sûr et certain, répondit James d'un ton définitif.

Le professeur capitula :

— Alors, je ne vois vraiment pas qui ça peut être. Car aussi intelligentes soient-elles, mes araignées n'ont pas pu soulever leur plaque de verre toutes seules. Dis-moi, James, aurais-tu une idée de ce qui a pu se passer ?

Le garçon regarda son oncle droit dans les yeux en répondant :

— Oui.

— Alors je t'écoute.

Avant de tourner les talons, James lui répondit :

— Une autre fois, oncle Fred. Maintenant, j'ai envie de me reposer un peu...

L'horloge sonna 2 heures de l'après-midi, puis, au bout de quelques secondes, un coup bien plus marqué résonna dans la maison. Un long silence s'ensuivit, comme si les murs de la maison, habitués au bon fonctionnement du carillon, s'étonnaient de cette anomalie. Après cet instant de perplexité, il y eut des bruits divers, de portes qui s'ouvrent et se ferment, de pas précipités dans le couloir, dans l'escalier, et même le tintinnabulement de la sonnette de l'entrée. Bates s'arrêta dans sa lancée et revint sur ses pas pour aller ouvrir. Il salua le Dr Hugues, qui lui demanda ce qui se passait, car il avait entendu le bruit d'une détonation. Le majordome avoua son ignorance, puis tous deux remontèrent le corridor, au bout duquel ils se heurtèrent à James qui venait de dévaler l'escalier quatre à quatre. Arrivés à l'intersection du couloir principal, ils aperçurent sur leur gauche Charlotte, près de la porte du bureau, et plus loin, venant de la véranda, le major.

— J'ai entendu un bruit, bredouilla la domestique.

— Une détonation, vous voulez dire ! rectifia le major Brough qui l'avait rejointe.

— Je crois que ça venait de là, dit-elle en désignant le bureau. J'étais dans la pièce d'à-côté.

— Oui, c'est ce qu'il me semble aussi, confirma l'ancien militaire.

Ruth et Pénélope venaient à leur tour de faire leur apparition. La maîtresse de maison s'avança vers le groupe, inquiète, dévisagea autant que faire se peut les visages en demandant :

— Frederick, où es-tu ? Je ne te vois pas

— Il doit être dans son bureau, déclara Edwin Brough en s'arrêtant devant la pièce.

Il frappa plusieurs fois à la porte, tout en appelant vivement le maître de maison, mais sans obtenir de réponse. Puis il baissa la poignée, sans plus de résultat.

— Je crois qu'il s'est passé quelque chose de grave, gémit Charlotte Bates, dont les yeux affolés firent le tour de la petite assemblée.

Tentant d'ouvrir la porte à son tour,

Bates déclara qu'elle était fermée au verrou.

— Un petit verrou branlant, précisa-t-il. Il suffirait d'un bon coup d'épaule...

— Allez-y, Bates, ordonna sèchement le major.

La porte céda dès la première tentative du majordome. Suivi du major, il entra dans la pièce, et ils virent aussitôt le professeur Foster, apparemment endormi dans son fauteuil, près de la fenêtre ouverte. Malgré sa tête penchée de côté, on distinguait le petit trou sombre et suintant à sa tempe. Un petit pistolet argenté gisait sur le tapis, juste sous sa main gauche, qui pendait au bas de l'accoudoir. Une forte odeur de poudre imprégnait les lieux. Comme autant de doigts jaunes, les rayons du soleil s'engouffraient par la petite fenêtre pour mettre en relief la scène tragique. L'ouverture était tendue d'une toile d'araignée. Sur ses fils de soie dorés de lumière, l'araignée Pénélope allait et venait, semblant regarder en direction du fauteuil, comme inquiète pour son maître.

— Mon Dieu, le professeur ! s'exclama Bates ! Il s'est suicidé !

11

L'INSPECTEUR HURST N'AIME PAS LES SUICIDES

Deux heures plus tard, le chef de la police de Worcester et les deux détectives contemplaient la scène du drame. Dès qu'il avait appris la nouvelle, Waddell avait alerté ses amis, qui commençaient à faire leurs valises. En s'engouffrant dans le taxi, Hurst s'était dit que, vu la tournure des événements, leur séjour risquait fort de se prolonger : ce n'était pas en quelques heures qu'ils allaient pouvoir se dépêtrer de la toile d'araignée dans laquelle ils se jetaient en victimes consentantes.

Les spécialistes du service anthropométrique n'étaient là que depuis peu et le photographe venait d'arriver. Seul manquait encore le médecin légiste. Bates, le major et le Dr Hugues étaient également présents.

— Singulière affaire, marmonna Waddell, allant et venant dans la pièce, les mains croisées dans le dos. On pourrait prendre ce suicide pour un aveu, non ? Une sorte de confession de son imposture.

— Oui, dit Twist. C'est la première chose qui vient à l'esprit, et c'est pour cela que je suis fort enclin à en douter.

— De quoi ? De la confession ou du suicide ?

Twist se tourna vers le major.

— Qu'en pensez-vous, Brough ? Foster était-il homme à se suicider ?

Le militaire secoua la tête.

— Non. Certes, il était assez irrité ces temps-ci, mais je l'imagine mal choisir ce genre de solution pour résoudre ses problèmes. Et si nous avions affaire à un imposteur, je serais également tenté de répondre par la négative. Après s'être donné tant de mal pour nous berner, ce serait absurde.

Pointant son index vers le cadavre, Waddell s'étonna :

— Il me paraît pourtant établi qu'il n'y a pas d'autre explication à sa mort !

Twist, comme s'il ne l'avait pas entendu, désigna la toile d'araignée tendue en travers de la fenêtre.

— Vous avez vu, major ? Elle a reconstruit sa toile. Remarquable, et quelle opiniâtreté ! Car vous l'avez détruite peu après avoir découvert le corps, n'est-ce pas ?

— Absolument.

— Et pourquoi cela ?

Le major réfléchit un instant en se frottant le menton.

— Par réflexe, je crois. En fait, tout cela

me paraissait bizarre. J'avais du mal à accepter les faits, et, après avoir rapidement constaté qu'il n'y avait personne d'autre que nous dans la pièce, j'ai jeté un coup d'œil par cette fenêtre. Pour cela, évidemment, il fallait arracher cette toile. Peine perdue, car je n'ai rien vu d'anormal au-dehors.

— Tous les vôtres sont entrés ici ?

— Oui, je crois, mais sans rester longtemps. J'ai immédiatement demandé au Dr Hugues de s'occuper de ma nièce Ruth. Après ma brève inspection, nous sommes sortis et Bates a aussitôt prévenu la police. Nous savions bien qu'en de telles circonstances, il ne fallait toucher à rien. Le Dr Hugues, qui venait d'administrer un sédatif à Mrs Foster, est revenu pour jeter un coup d'œil sur le corps. Bates et moi l'avons accompagné, puis nous sommes allés dans le couloir pour attendre la police, qui est arrivée une demi-heure plus tard.

— Pouvez-vous certifier qu'il n'y avait personne dans la pièce au moment de la découverte ?

— Sans le moindre doute, répondit le militaire. Les seules cachettes possibles de cette pièce sont la grande armoire à côté de la commode, l'espace sous le bureau et celui sous le lit. Or, il n'y avait pas un chat, ... sauf, bien sûr, les chères araignées du professeur dans leur cage.

— Alors, déclara Waddell, il ne peut s'agir que d'un suicide. Les deux fenêtres au-dessus du bureau n'ont pas été ouvertes depuis des lustres, comme nous avons pu le constater, à cause du dépôt de saleté sur les jointures, et du système de fermeture, quasiment soudé par la rouille. L'unique porte était verrouillée de l'intérieur...

— Certes, intervint Archibald Hurst. Mais il s'agit d'un petit loquet, qu'on pouvait fermer d'une pichenette. À première vue, il n'y a rien d'anormal sur la serrure, pas d'éraflure suspecte. Mais je gage qu'avec un simple bout de fil de fer recourbé, passé dans le trou de serrure, on peut faire bouger ce loquet de l'extérieur.

— Je ne vois pas à quel moment, ni comment, intervint le major. À l'instant où le coup de feu fut tiré, et depuis près d'une demi-heure, j'étais au bout du couloir, du côté de la véranda. Si quelqu'un était passé par là, je l'aurais remarqué.

— Seriez-vous prêt à le jurer sous serment ?

Le major prit une profonde inspiration, puis lâcha :

— Non. Car j'étais occupé par mon château de cartes. J'ai pu avoir un moment d'inattention, c'est fort possible. En revanche, je peux vous garantir que personne n'a quitté cette pièce *après* le coup de feu. Et Mrs Bates, qui est sortie de la chambre voisine quelques secondes plus tard, pourra vous le confirmer.

— Alors, fit Twist en se tournant vers la petite fenêtre, il ne reste que cette issue.

Elle était ouverte, d'une part, et elle semble suffisamment grande pour livrer passage à une personne normalement constituée. Qui plus est, elle est située à moins de deux mètres du fauteuil. Le problème...

— C'est que son accès était barré par la toile d'araignée, acheva Hurst, sombre et pensif.

— Dites-moi, major, êtes-vous bien sûr que la toile que vous avez arrachée était une vraie ?

— Sans le moindre doute. Je l'ai même examinée quelques secondes... sans trop savoir pourquoi. Peut-être à cause de l'étrangeté de la situation, ou de l'araignée elle-même qui réagissait comme si elle avait compris le drame de son maître. Bref, j'ai mis mon nez tout près de cette bestiole. Et vous aussi, Bates, n'est-ce pas ?

L'imposant domestique approuva de la tête.

— Oui, il n'y avait pas la moindre supercherie possible. J'ai déjà examiné à plusieurs reprises les ouvrages de l'araignée du professeur, depuis qu'il m'avait montré ses étonnantes prouesses. Rendez-vous compte, il ne lui faut pas plus d'un quart d'heure pour la tisser ! Une vraie toile, bien tendue en travers de l'ouverture de la fenêtre, exactement comme celle que vous voyez là.

Twist s'approcha de la fenêtre. Celle-ci s'ouvrait à la française et ne possédait qu'un vantail, entièrement rabattu sur le côté. L'ensemble était en bon état, et seul le treillage de plomb dans lequel étaient enchâssés les petits carreaux semblait d'origine. L'ouverture de la fenêtre devait faire un demi-mètre de largeur, et un peu plus en hauteur. Pénélope avait tendu son filet de soie dans l'embrasure en chêne. Une belle toile géométrique, très dense au centre, mais plus aérée aux extrémités, dont les grands espaces ne devaient pas excéder cinq ou six centimètres de côté.

Le détective rajusta son pince-nez pour observer attentivement l'ouvrage de l'insecte, puis demanda au Dr Hugues les conclusions de son examen du cadavre.

Le médecin se pencha sur le corps du professeur, du côté de sa blessure mortelle. Sa pâleur trahissait son profond bouleversement.

— Il n'y a rien d'anormal *a priori*, commença-t-il. Les traces de poudre sur sa tempe indiquent clairement que le coup a été tiré à bout portant.

— Venait-il de mourir lorsque vous êtes arrivé ?

— Oui. Un filet de sang coulait de sa blessure et le corps était encore chaud.

— Cela ne fait aucun doute, confirma le major. Et j'ai une certaine expérience de ces choses-là, ayant vu mourir plusieurs de mes camarades, pour ainsi dire dans mes bras.

Là-dessus, le médecin légiste arriva. Ses premières impressions confirmèrent celles du Dr Hugues, et il ne pensait pas que son rapport après autopsie, sauf surprise, puisse modifier ce diagnostic. Clark, un des spécialistes de l'anthropométrie, vint alors trouver les détectives. Il leur demanda de les suivre et leur montra, posée sur une pièce de tissu au milieu du bureau du défunt, l'arme fatale : un browning de petit calibre en métal argenté.

— Des empreintes digitales bien nettes, commença-t-il d'un air songeur. Ce sont bien celles du mort, impossible de s'y tromper.

— Et alors ? s'enquit Waddell sur le qui-vive, comme un limier qui vient de flairer un piège.

— Il y a deux points qui me dérangent, et même trois, en fait. Le premier, c'est l'endroit où l'arme fut trouvée, sous la main du professeur, qui pendait librement du fauteuil, dans un geste assez naturel. Ce qui me chiffonne, c'est que le browning était très exactement en dessous. Vous comprenez, normalement, en retombant, elle aurait dû être un peu emportée dans son élan, par le geste de relâchement de la victime, puis rebondir sur le sol.

— Elle aurait pu, par exemple, objecta Waddell, s'écarter de sa trajectoire comme vous l'avez dit, mais rebondir ensuite dans l'autre sens, pour revenir en quelque sorte à sa place initiale, non ?

— Oui, ce n'est pas impossible, admit Clark d'assez mauvaise grâce. Mais il n'y pas que ça. Comme je vous le disais, les empreintes sont d'une netteté étonnante. Il faut reconnaître que la surface parfaitement polie du pistolet constitue un support de choix. Ce que je veux dire, c'est qu'en pareille circonstance, si nous partons du principe que l'homme a laissé tomber son pistolet après s'être tiré une balle dans la tête, elles auraient légèrement dû être brouillées par le glissement de l'arme.

— Vous êtes sûr de ce que vous avancez ?

— Il y a parfois des exceptions, mais c'est normalement ce qui se produit. Il est rare d'avoir des empreintes aussi nettes que celles-ci. Jusque-là, ce ne sont que pures conjectures, j'en conviens. Mais il y a une troisième anomalie, que personnellement je ne m'explique pas. Vous voyez bien que toute la surface de l'arme est parfaitement lisse, si bien qu'elle aurait dû normalement conserver diverses empreintes, comme celles laissées par le geste de celui qui s'était emparé du pistolet, pour le sortir d'un tiroir par exemple.

— Oui, approuva Waddell. On nous a dit qu'il s'agissait bien de l'arme du mort et qu'il la conservait, en effet, au fond d'un des tiroirs de ce bureau.

— Eh bien, il n'y a aucune de ces empreintes ! Il y a juste celles, trop précises, où il tient l'arme, sur la crosse et la détente, comme lorsqu'on s'apprêter à tirer. Celles-ci, mais aucune autre. Le mort l'avait-il nettoyée avant de s'en servir ?

L'avait-il ensuite délicatement mise dans sa poche en la tenant avec un chiffon ? Puis l'avait-il saisie d'un mouvement précis et définitif en l'empoignant correctement du premier coup ? Car c'est ce que semblent indiquer ces empreintes uniques...

— Et pourquoi aurait-il agi ainsi ?

— Je n'en ai aucune idée, justement.

— En clair, intervint Hurst, vous pensez que quelqu'un a glissé entre les doigts du mort une arme soigneusement essuyée après usage ?

Clark haussa les épaules.

— Je ne vois pas d'autre explication possible.

Une veine gonfla à la tempe de Waddell. Il jeta un regard circulaire, puis lâcha dans un grincement de dents :

— Il s'agirait donc d'un assassinat. Un assassinat commis dans une chambre close, parfaitement close. De deux choses l'une : ou le meurtrier se trouvait encore ici lorsque les témoins sont entrés...

— Impossible, dit le major. Je suis catégorique. Plusieurs personnes sont prêtes à le jurer sous serment.

— Ou il a réussi à s'enfuir une fois son crime commis, ce qui, nous l'avons vu, équivaudrait à franchir des murs, des portes ou des fenêtres verrouillées sans laisser de trace, ou éventuellement à passer au travers des mailles d'une toile d'araignée. Vraiment, je trouve que nous nous trouvons confrontés à un cas très déconcertant ! Qu'en pensez-vous, Archibald ?

L'inspecteur Hurst ne s'était pas départi de son calme, ce qui était assez surprenant au vu des événements. La déroute de son collègue semblait agir sur lui comme une sorte de tranquillisant. Avec un sourire empreint d'amertume, il répondit :

— Franchement, je serais tenté de dire que c'est le contraire qui m'aurait étonné. Car depuis le début de ma carrière, j'ai l'impression d'être poursuivi par une malédiction tenace. Presque tous les meurtres dont j'ai eu à m'occuper présentaient une impossibilité de la même farine, si ce n'est pire. En entrant dans cette pièce, et malgré les apparences, j'ai flairé dès l'abord comme une odeur d'assassinat. Les cas de suicides ordinaires, si j'ose dire, ne sont jamais pour moi !

12

ALIBIS

Les détectives concentrèrent leur attention sur l'aspect paradoxal du problème, remettant à plus tard les autres points qui méritaient d'être soulevés. Le bureau et ses alentours furent examinés à la loupe. Le lendemain après-midi, au commissariat de Worcester, les trois hommes faisaient le point. Plusieurs rapports s'empilaient déjà sur le bureau de Waddell, qui en avait tiré une synthèse chronologique des mouvements de personnes à l'heure fatale.

— Tout d'abord, déclara-t-il en ouvrant son dossier, je dois vous dire que la thèse du suicide ne peut plus guère être retenue. J'ai eu en première heure un coup de fil du légiste, qui n'a pas décelé le moindre grain de poudre sur la main du mort, ce qui est inconcevable si la victime avait porté elle-même le pistolet à sa tempe. Il est formel là-dessus.

— Eh bien, fit Hurst, voilà qui règle définitivement la question. À présent, nous savons au moins où nous en sommes !

Le chef de la police de Worcester eut un regard surpris.

— Ah ! Vous croyez ? Alors laissez-moi vous donner les derniers résultats de l'enquête. Les murs, le plafond et le plancher ont été passés au peigne fin, sans succès, malgré les espoirs qu'on pouvait avoir avec une vieille maison comme celle-ci. Rien. Pas de passage dérobé, ni même de cavité secrète. Je ne reviens plus sur les deux fenêtres au-dessus du bureau. L'expertise est absolument formelle : elles n'ont pas été ouvertes depuis plusieurs années, et les treillages des petites carreaux ne présentent aucune anomalie. Tout, aussi, a déjà été dit sur la seule porte de la pièce, et sur la fenêtre barrée par la toile d'araignée. Malgré cela, nous avons inspecté le sentier qui passe juste en dessous, sans rien trouver de suspect.

— Oui, intervint Twist. Mais cela ne signifie rien. J'y ai moi-même jeté un coup d'œil. Entre le sentier et l'étroite plate-bande qui longe le mur, il y a une bordure de brique sur laquelle il est aisé de prendre appui pour passer par la fenêtre, qui est tout juste à hauteur de poitrine, et cela sans laisser de trace.

— En passant au travers de la toile de Pénélope ?

Twist tira doucement sur sa pipe et rendit un mince filet de fumée.

— Non, bien sûr, mais je pense à une chose...

— Laquelle ?

— À chaque problème que nous pose cette affaire, nous buttons toujours sur le même obstacle : une araignée. Que ce soit pour la perte du précieux dossier, ou la mort du professeur Foster, si tant est qu'il s'agisse de lui. À chaque fois, nous nous prenons dans une toile gluante, sans parvenir à nous en défaire.

— Ah ! vous voyez bien ! Nous sommes loin de savoir où nous en sommes, et je dirais même que nous sommes passablement bloqués !

— C'est vrai, fit posément l'inspecteur Hurst, rasé de frais, sa mèche rebelle soigneusement ramenée en arrière. Mais il ne sert à rien de s'affoler. Vous savez, Waddell, nous avons une certaine expérience de ce genre d'affaire.

— Justement, dit Waddell en jouant nerveusement avec le dossier entre ses doigts. Moi, au contraire, je n'ai jamais eu à m'occuper de cas semblable. Une ébouriffante affaire de substitution, un assassinat incompréhensible, cela fait peut-être trop d'un coup ! Alors j'ai pensé que... qu'il serait peut-être préférable de s'en remettre à Scotland Yard. J'ai de bonnes relations là-bas, et je suis sûr qu'en quelques coups de téléphone le transfert de compétence pourra être réglé.

Hurst se redressa soudain sur son siège.

— J'ai peur de mal comprendre. Me

demanderiez-vous de prendre la direction de l'affaire ?

L'infortuné policier approuva vivement du chef et dit d'un ton d'humilité un peu embarrassée :

— Oui, Archibald. Je vous demande ce service. Ce grand service que vous me rendriez en l'acceptant, à moi mais aussi à la justice, car je ne vois personne d'autre que vous pour résoudre un tel imbroglio, surtout au train où vont les choses.

Hurst se rengorgea. Un sourire de fierté passa sur son visage rougeaud et massif.

— Il est vrai que cette affaire nécessite un certain doigté. Qu'en pensez-vous, Twist ?

— Eh bien... cela ponctuerait agréablement notre voyage, Archibald. Je ne vois donc aucun inconvénient à me pencher sur ce problème, dont nous connaissons déjà les données.

Une expression d'intense soulagement inonda le visage de Waddell, qui s'empressa de décrocher le téléphone pour demander à la standardiste un numéro à Scotland Yard. Lorsqu'il raccrocha, un peu plus tard, il déclara, la mine réjouie :

— Tout se présente pour le mieux, mais il nous faut encore l'aval de la hiérarchie. En attendant, mes amis, que cela ne nous empêche pas de poursuivre notre enquête. Où en étais-je ? Ah oui ! les emplois du temps de nos protagonistes. J'ai noté là tous les horaires que nos avons pu recueillir. Voyons... D'abord Foster lui-même. La dernière fois qu'on l'a vu vivant, c'était à 13 h 15, dans son bureau. Il comptait faire une sieste, une habitude chez lui à cette heure-ci. Le témoignage nous vient du petit James, qui se souvient que la fenêtre était ouverte, avec l'araignée aux aguets sur sa toile. Ici, on pourrait envisager le fait que Foster ferme sa porte au verrou pour ne plus être importuné par le gamin, mais ce n'est que pure supposition. C'est vraisemblablement l'assassin qui s'en est chargé.

» À 13h30, le major s'installe au bout du couloir et commence à construire un de ses obsessionnels châteaux de cartes.

» À 14 h 00 précise, le coup de feu éclate. Il est suivi d'un silence de mort, qui dure entre quinze et trente secondes, selon les témoins. Le major affirme avoir vu Mrs Charlotte Bates sortir de la pièce contiguë du lieu du drame au bout de quinze secondes, mais elle-même pense qu'elle a hésité un peu plus longtemps. Le majordome a entendu résonner la sonnette d'entrée une minute après la détonation. Le Dr Paul Hugues, le visiteur, estime qu'il ne s'est écoulé qu'une trentaine de secondes. Le petit James jouait dans sa chambre à l'étage. Il est descendu en trombe. Il avait aussi eu un moment d'hésitation, mais il est incapable de dire exactement de combien de temps. Pénélope et Mrs Foster étaient au rez-de-chaussée. La première se trouvait alors dans la salle de bain, en train de se préparer pour sortir, et la seconde dans le salon. Elles se sont toutes les deux rencontrées dans le couloir et ont été les dernières à arriver, environ trente secondes après les autres. Le même temps s'est écoulé avant que Bates n'enfonce la porte. Soit environ deux minutes après le coup de feu. Ce qui apparaît clairement dans tout cela, c'est que si l'assassin est l'un d'entre eux, il a fait preuve d'une habileté et d'une célébrité vraiment hallucinantes. Qu'en pensez-vous, messieurs ?

Hurst acquiesça :

— C'est juste. Toutefois, il y a une personne qui me paraît bien plus suspecte que les autres, car c'est la seule, qui, à l'extrême rigueur, aurait pu exécuter ce meurtre.

— Le major Brough ? s'enquit Twist.

— Exact. À votre avis, combien de temps faut-il pour presser le pistolet dans la main d'un cadavre, après avoir fait feu sur le professeur endormi, en s'étant évidemment muni de gants ?

— Quelques secondes...

— Je dirais trois ou quatre pour quelqu'un d'entraîné. J'en ajoute autant pour gagner la porte et l'ouvrir, et cinq autres pour parvenir jusqu'au bout du couloir sans faire trop de bruit. Ce qui nous fait moins de quinze. Si nous tenons compte du témoignage de Mrs Bates, et non de celui de notre supposé coupable, il nous en reste autant pour fermer le verrou de l'extérieur.

Pour le moment, aucun de mes hommes ne voit comment, tout en reconnaissant que c'est faisable pour un homme de sang-froid et d'une grande dextérité... comme notre major, passé maître dans la manipulation des cartes.

— C'est juste, approuva Waddell. Mais que faites-vous de sa claudication ?

Le visage de Hurst se renfrogna.

— Elle n'est que légère.

— Peut-être, mais comme le temps lui était si chichement compté.

— Je sais. C'est néanmoins la solution la plus plausible. S'il est innocent, personne d'autre que lui n'aurait pu se livrer à ce stratagème sans qu'il s'en rende compte. Si nous envisageons une fuite par une des trois fenêtres, le coupable aurait également fait preuve d'une grande rapidité d'exécution. Mettons qu'il aurait disposé d'une minute pour le tout, avant de revenir dans sa chambre et de jouer la comédie, mais il reste le redoutable problème de sa sortie, qu'il aurait dû résoudre en une trentaine de secondes... alors que nous sommes incapables d'y apporter une réponse en prenant tout le temps qu'il faut !

Waddell hocha la tête, puis, après un moment de réflexion, leva soudain la main comme pour mieux attirer l'attention.

— Je viens d'avoir une idée, dit-il. Et si quelqu'un avait tout simplement passé le bras par la fenêtre, au travers de la toile d'araignée, pour porter le coup fatal ?

— Il y a presque deux mètres jusqu'au fauteuil, objecta Twist. Et le tir a été exécuté du côté gauche de la victime, laquelle avait la fenêtre plus ou moins sur sa droite. Sans parler du problème des empreintes digitales du mort retrouvées sur l'arme...

— L'assassin lui avait peut-être préalablement demandé de tenir l'arme sous un prétexte quelconque ?

— Quand bien même... Comment aurait-il fait pour réparer les dégâts causés dans la toile de Pénélope ? J'ai fait personnellement un essai, au grand dam de notre pauvre fileuse, qui va sans doute finir par perdre patience. Et bien ce fut un désastre. Les délicats fils de soie sont légèrement gluants, ce qui fait qu'on cause de grands dégâts, même pour un petit bras, comme celui d'un enfant. Des dégâts réparables pour l'araignée, certes, mais très voyants tout de même.

— Et si elle avait réussi cet exploit en, disons, une ou deux minutes, avant qu'on songe à examiner sa toile ?

— Non, affirma Twist. Je l'ai vue à l'œuvre. Elle n'a pas réussi ce tour de force, toute habile couturière qu'elle est, et de plus, sur des ouvrages aussi parfaits que les siens, le moindre ravaudage de fortune se voit comme le nez au milieu de la figure. J'avais d'ailleurs songé à une telle explication, et c'est pour cela que j'avais bien insisté pour qu'on me confirme le bon état de cette toile au moment de la découverte du drame. Le major tout comme Bates se sont montrés absolument catégoriques : elle était en tout point parfaite et semblable à celles de sa production habituelle.

Il se fit un silence, puis la sonnerie du téléphone se mit à retentir.

Waddell décrocha promptement. Quand il eut posé le combiné, après une courte conversation, son visage était celui d'un homme détendu.

— Archibald, mon ami, vous avez désormais carte blanche. Vous pouvez vous considérer comme officiellement chargé de l'affaire. Les hauts responsables du Yard et mes supérieurs sont à l'unisson : vous êtes l'homme de la situation.

Hurst parut soudain plus vieux de quelques années. Sa mèche rebelle se balançait devant son front sillonné de rides.

— Eh bien, dit-il en s'efforçant à la plaisanterie, j'ai l'impression que ce n'est pas du gâteau !

— Oh ! que non, approuva le Dr Twist. D'autant que notre affaire ne se réduit pas au seul mystère du *modus operandi* du crime. Je vois un problème tout aussi grave qui se profile. Cet homme était-il oui ou non un imposteur ? La question est capitale, car si nous voulons confondre son meurtrier, découvrir son mobile, il nous faut savoir en tout premier lieu *qui* a été tué. Après la disparition des empreintes digitales du vrai Foster, je crois que nos

118

**derniers espoirs de l'identifier formelle-
ment se sont envolés avec la mort de cet
homme.**

13

QUI EST LE MORT ?

Il faisait un temps très agréable lorsque les deux détectives arrivèrent à Black House le lendemain en début d'après-midi. Sur les conseils de son ami, l'inspecteur rangea sa Talbot le long de la route, non loin de l'entrée de la propriété. Il souhaitait encore jeter un coup d'œil aux alentours avant de sonner chez les Foster. La maison était protégée par une haie, peu régulière, parfois espacée, et double par endroits. Des arbres fruitiers, des deux côtés de la haie, avaient été plantés sans grand souci de symétrie. La plupart des zones ombragées étaient envahies par les fougères, que l'on retrouvait aussi dans de grands pots disséminés autour de la maison. L'ensemble dégageait une impression de luxuriance, et même d'exotisme avec les treillages de bois et les frises en arabesque de la terrasse.

Remontant le sentier sur leur gauche, dans un double défilé de haies, ils furent surpris d'entendre des hennissements. Ils virent alors au travers d'une trouée une écurie et, au fond d'un verger, une maison spacieuse, mais plus modeste que celle des Foster. Twist s'engagea dans l'étroit passage, suivi de son compagnon, et surprit bientôt une jeune fille en tablier, debout sur une échelle posée contre un pommier. Blonde et mince, elle avait à peu près le même âge que Pénélope, mais semblait moins maniérée. Apercevant les détectives, elle descendit de l'échelle et vint à leur rencontre, aimablement souriante, tout en se frottant les mains à son tablier. Son visage candide, légèrement piqué de taches de rousseur, était éclairé par de grands yeux pers.

— Que puis-je pour vous, messieurs ? s'enquit-elle fort poliment.

Hurst se présenta en s'inclinant, s'empressant de préciser que les exigences de leur enquête étaient les seules raisons de leur intrusion.

— C'est un drame effroyable, commenta la jeune fille. Ce pauvre Mr Foster, après tout ce qui lui est arrivé. Il venait à peine de rentrer et voilà que... C'est vraiment incroyable !

— Vous êtes Barbara Sanders, n'est-ce pas ? demanda Hurst en ouvrant son calepin.

— Oui, je suis la fille de John Sanders. Nous vivons seuls ici depuis la mort de maman, et nous connaissons les Foster depuis qu'ils se sont installés ici. Papa est bouleversé, d'autant qu'il l'avait rencontré la veille du drame. Mr Foster était malheureusement très énervé. Il s'est même un peu fâché durant l'entretien, lorsque papa a abordé une vieille histoire. Il m'a dit que c'était normal, après ce qu'a dû endurer cet homme. Il n'empêche... Papa est doublement peiné de l'avoir quitté ainsi. Quand il a appris le lendemain qu'il s'était suicidé, il est devenu tout pâle et...

— Pour l'heure, trancha Hurst, rien ne permet de confirmer la thèse du suicide. Il est même bien plus probable qu'il s'agisse d'un assassinat.

Les grands yeux clairs de Barbara s'arrondirent de stupéfaction.

— Assassiné ? répéta-t-elle. Mais par qui ? Un vagabond, un cambrioleur ?

— Toute la question est là, mademoiselle. Nous sommes d'ailleurs précisément chargés de faire toute la lumière sur cette affaire. Peut-être pourriez-vous nous aider en répondant à nos questions ?

Barbara Sanders y consentit bien volontiers, mais son témoignage n'apporta aucun élément déterminant. À l'heure du drame, elle était occupée à faire la vaisselle. Deux amis de son père étaient venus déjeuner. Avec le bruit du robinet qui coulait et celui des couverts qui s'entrechoquaient, elle n'avait pas entendu la détonation. Son père, parti avec ses amis vers 2 heures, était revenu sur les coups de 4 heures. À la fin de ses explications, elle demanda à brûle-pourpoint :

— Soupçonne-t-on quelqu'un de son entourage ?

— C'est une hypothèse qui ne peut être exclue.

Elle plissa les paupières et déclara :

— Alors, je ne vois qu'une personne qui puisse avoir commis ce crime.

Les deux détectives échangèrent un regard surpris.

— Qui ? demanda l'inspecteur, méfiant.

— Pénélope, sa filleule.

— Et pourquoi diable aurait-elle fait ça ?

— Je ne sais pas... Mais elle est foncièrement mauvaise et égoïste... ce ne peut donc être qu'elle.

Les beaux yeux clairs de Barbara luisaient à présent d'une lueur vindicative. Elle leur expliqua par le menu dans quelles lâches circonstances sa voisine lui avait pris Matt, son ancien amoureux. Elle avait profité de son absence pour le consoler, alors que le malheureux Matt était effondré après avoir été recalé, contre toute attente, au baccalauréat. Une proie facile, pour une experte comme elle, passée maîtresse dans l'art de la séduction, après avoir dévoyé nombre de jeunes gens des environs. Elle brossa alors un portrait à charge de sa voisine, véritable Marie-couche-toi-là, qui avait fait couler bien des larmes et brisé quelques couples. Il était évident que la jalousie inspirait son témoignage, et Hurst commençait à s'impatienter devant cette charge partiale et interminable.

— Par la suite, énonça-t-elle avec une dignité offensée, Matt est revenu, naturellement. Implorant et tout penaud. Mais il était trop tard. Je lui ai signifié que je n'avais pas pour habitude de me contenter des restes d'une putain et que...

Sa voix s'étrangla et elle fondit soudain en larmes.

— Excusez-moi, messieurs, bredouilla-t-elle, le visage plongé dans ses mains. Mais c'est plus fort que moi. Je la déteste tant, elle m'a tant fait souffrir...

Hurst, occupé à chasser une abeille opiniâtre, se racla la gorge avec force, puis demanda :

— J'aimerais vous poser une question personnelle, mademoiselle, qui concerne non cette jeune fille, mais Mrs Foster. Savez-vous si elle avait des projets matrimoniaux, j'entends avant le retour du malheureux Foster ?

Barbara releva soudain la tête.

— Oui, pourquoi ?

— Nous voulions simplement savoir si le fait était de notoriété publique.

— Oui, tout le village était au courant, bien sûr. Tout se sait à Royston...

— Donc Foster pouvait raisonnablement le savoir lui aussi ?

— Il pouvait, oui, bien sûr, mais je ne sais pas si c'est le genre de chose qu'une femme annonce à un mari qu'elle n'a pas revu depuis trois ans. Pensez-vous que cela puisse avoir un rapport avec sa mort ?

124

Twist rajusta son pince-nez et dit d'un ton affable :

— La passion est souvent au cœur de tels drames. Je pense que vous avez désormais assez d'expérience pour comprendre les sentiments qu'ont pu éprouver la femme, le mari et le fiancé, tous trois subitement plongés dans une situation aussi pénible.

La jeune femme acquiesça en déglutissant, puis Hurst demanda :

— Avez-vous bien connu feu le professeur Foster ?

— Non, pas vraiment. Nous nous saluions simplement en nous croisant, quand il n'était pas complètement absorbé par ses pensées. Mon père, en revanche, a souvent discuté avec lui.

— Pourrions-nous lui parler ?

— Oui, il est justement à la maison, répondit Barbara qui venait de sécher ses pleurs. Venez, suivez-moi.

Quelques instants plus tard, les deux détectives étaient installés dans une grande cuisine rustique, au bout d'une grosse table en chêne, devant des bols remplis d'un cidre bien frais, ambré et pétillant.

Alan Twist dégustait sa boisson en connaisseur, et posa de nombreuses questions sur sa fabrication, auxquelles John Sanders, un homme solidement charpenté, blond et aux bras velus, répondit avec une compétence qui reposait sur plus de vingt ans d'expérience, expérience acquise aux côtés de son père et son grand-père, qui la tenaient eux-mêmes de leurs aïeux. Cette véritable institution familiale mais également un soin toujours jaloux dans toutes les phases de sa fabrication — allant du lavage à la mise en barrique, en passant par le broyage et le pressurage et, naturellement, le choix des fruits — expliquaient la qualité du cidre qui sortait de ses tonneaux. Le maître de maison en vint ensuite à parler de son voisin, avec lequel il avait d'abord été en froid, précisément à cause des pommiers, plantés sur un terrain jouxtant leurs deux propriétés. Ces arbres produisaient les meilleures pommes, et le père de Foster, à qui ils appartenaient, avait toujours laissé à son voisin le soin de les entretenir et d'en cueillir les fruits. Mais Foster junior avait décidé d'y mettre un veto, provoquant ainsi une querelle froide qui avait duré plusieurs années. Puis un beau jour, sans raison apparente, il changea d'avis, décidant de rétablir les anciennes habitudes et, partant, les bonnes relations de voisinage.

— Dire que nous étions devenus les meilleurs amis du monde serait excessif, expliqua Sanders après avoir resservi généreusement ses hôtes. Nous ne passions pas nos soirées ensemble, mais il nous arrivait de boire une petite pinte en nous racontant des blagues.

— Le Foster que vous avez revu avant-hier était-il d'aussi joyeuse compagnie ?

— Non, justement. Mais j'avoue avoir un peu péché par maladresse. Je voulais lui

126

demander une petite extension des terrains qu'il me prêtait... mais le moment était vraiment mal choisi. Il s'est même emporté, en me disant qu'il avait d'autres chats à fouetter, et il a pris congé sans même me saluer.

— Était-ce le même homme, selon vous ? Si je vous pose la question, c'est que nous avons certaines raisons de douter de son identité...

Après que le policer eut brièvement évoqué les faits qui avaient engendré ses soupçons, Sanders demeura pensif, sa grosse main couverte de poils blonds tambourinant sur la table.

— Il avait changé, bien sûr, finit-il par dire. Il avait maigri et paraissait plus vieux, et, à l'époque, il ne portait pas la barbe. Mais un autre homme ? Non, cela ne me paraît pas envisageable. Ou alors, c'était son sosie parfait ! Mais que disent les siens ?

— À peu près comme vous.

Le propriétaire hocha gravement la tête, puis leva un bras d'un geste éloquent.

— Mais cela a-t-il vraiment de l'importance, maintenant qu'il est décédé ? Puisque le vrai Foster, de toute façon, est bien mort, n'est-ce pas ?

— Certainement, Mr Sanders, répondit Hurst avec fermeté. Mais la justice de notre pays ne saurait se contenter de tels raccourcis. Nous enquêtons sur un meurtre, et nous entendons bien retrouver son assassin. Or, la question se pose précisément en ces termes : le criminel voulait-il se débarrasser du vrai Foster ou de l'imposteur ?

— Pourquoi voudrait-on éliminer un imposteur ? rétorqua le cultivateur. N'est-il pas plus simple de le dénoncer ?

— A priori, oui. Mais encore faut-il être en mesure de le confondre. Supposons que vous sentiez l'homme trop habile pour se laisser piéger.

— Moi ? s'offusqua leur hôte. Je n'ai jamais rien soupçonné de tel !

— C'était une simple manière de parler, Mr Sanders. Mais puisque nous y sommes, pourriez-vous nous dire ce que vous faisiez avant-hier aux alentours de 2 heures ?

Hurst prit soigneusement note de l'alibi avancé par le fermier, concordant avec les déclarations de sa fille. Au moment fatal, il était en compagnie de deux amis, sur le point de quitter la maison, afin d'aller réparer une charrette chez l'un d'entre eux.

— À part cela, Mr Sanders, demanda ensuite le policier, ne voyez-vous rien qui puisse nous aider, nous mettre sur la voie du meurtrier ?

L'homme sourit en remplissant une nouvelle fois les bols de cidre, puis demanda :

— Ne suis-je donc pas votre principal suspect ?

— Nous soupçonnons tout le monde, répondit Hurst dans un soupir. C'est notre métier. C'est fort regrettable pour des gens sympathiques comme vous, Mr Sanders, mais malheureusement, l'expérience m'oblige à dire que les criminels les plus retors relèvent souvent de cette catégorie. Tout ce qui peut contribuer à leur arrestation est le bienvenu.

Après s'être gratté l'occiput, le cultivateur déclara :

— J'ai bien ma petite idée sur la question, mais ce n'est qu'une impression toute personnelle.

— Nous vous écoutons.

— Si Foster a été tué d'une manière aussi savante, comme vous me l'avez expliqué, alors je ne vois qu'une personne, dans son entourage, qui ait pu le faire. J'entends quelqu'un qui a les capacités intellectuelles pour réussir un tel exploit. Encore une fois, je n'ai aucune preuve, et cela m'ennuie beaucoup car... Mais enfin voilà. L'année dernière, j'avais un sacré problème sur les bras, car je devais cueillir en catastrophe les pommes de plusieurs arbres. Or, les conditions étaient mauvaises, terrain en pente et de nombreux buissons comme obstacle. Une personne trouva la solution, en me faisant le plan d'un très ingénieux échafaudage, en même temps que celui d'un outil approprié pour la cueillette des pommes, exclusivement en bois, naturellement.

— Qui cela ?

Après avoir plusieurs fois hoché la tête, Sanders répondit :

— Le petit James. C'est encore un gamin, bien sûr, mais il a quelque chose dans la caboche, croyez-moi !

129

— Et vous pensez que c'est lui ? s'étonna Hurst.

Sanders vida lentement son bol de cidre, puis répondit comme s'il avait avalé un breuvage très amer :

— Honnêtement, non. Je me disais simplement que lui seul aurait la capacité d'élaborer un stratagème pour sortir d'une chambre fermée de l'intérieur.

14

CHEVEUX EMBUSQUÉS
ET PNEUS CREVÉS

— Réflexion faite, je ne sais plus, déclara Pénélope Ellis, assise dans un fauteuil de la terrasse, en train d'examiner ses ongles vernis. Quand nous l'avons revu ce jour-là, sur le pas de la porte, alors qu'il venait de sortir de la voiture, je me suis dit qu'il avait beaucoup vieilli et maigri. Mais j'ai ensuite trouvé cela normal, après tout ce qu'il avait enduré là-bas, après ces longs mois de privations.

Hurst et le Dr Twist entendait le témoignage de la jeune fille depuis peu de temps. Pourtant, ils subissaient déjà son charme troublant, dû autant à sa personnalité qu'à la minceur de sa taille, à sa jupe et à son boléro de soie noire qui mettaient en valeur sa beauté gracile, à son ravissant petit nez mutin, à ses longs cheveux bouclés, et à ses manières très féminines, bien qu'un peu affectées.

— Si nous nous permettons d'insister sur ce point, reprit Hurst d'un ton courtois, c'est que vous êtes, avec Mrs Foster, les personnes qui connaissaient le mieux le défunt. Mais du fait de la très mauvaise vue de Mrs Foster, il ne reste pour ainsi dire que vous.

La jeune fille haussa les épaules et dit avec un léger agacement :

— Maintenant, j'hésite... Plus j'y réfléchis, plus tout me paraît bizarre. Son explication à propos de la photo... c'était comme s'il l'avait trouvée *in extremis*.

— Le cas d'un usurpateur vous semble donc envisageable ?

Pénélope ordonna sa chevelure d'un mouvement gracieux.

— Je ne sais pas. Je pensais que ce suicide était en quelque sorte l'aveu de son imposture... mais puisque vous dites que ce n'est pas possible !

Hurst soupira et dit comme à regret :

— Là aussi, les faits sont contradictoires. Mais la thèse de l'assassinat semble nettement prévaloir. J'aimerais maintenant que vous nous parliez de lui, à la fois de l'homme qu'il était avant son départ, et de celui qui est revenu. Ma première question sera relative au mariage qu'envisageaient sa femme et le Dr Hugues. À votre avis, était-il au courant ?

Pénélope alluma une cigarette, comme pour mieux réfléchir, puis répondit :

— Oui, j'en suis presque persuadée. Il a fait trop d'allusions dans ce sens pour qu'on puisse les attribuer à une coïnci-

132

dence. Ce nom de Pénélope, par exemple, donné à cette araignée...

— N'était-il pas choisi à cause de vous ?

— Oh non ! Ça, c'était une ruse pour semer le doute. La Pénélope qu'il visait était bien sa femme, car il s'était lui-même comparé à Ulysse. C'était une manière détournée et ironique de lui reprocher son infidélité, c'est évident.

— Vous pensez donc qu'il a souffert secrètement de cette situation ?

La jeune fille exhala un mince filet de fumée.

— Oui.

— Il s'agirait malgré tout du vrai Foster ?

— Je n'en sais rien, mais enfin, si c'était le cas, il a dû beaucoup souffrir de cette situation, même s'il s'employait à le cacher derrière des attitudes désinvoltes. Je me demande même si...

— Oui ?

— Eh bien, si cet homme était si malheureux et qu'on l'a découvert dans son bureau fermé avec un balle dans la tête...

— Il se serait suicidé malgré tout ?

— N'est-ce pas logique ?

— Si, convint Hurst, pensif. Mais les faits l'infirment.

— Vous savez, c'était loin d'être un imbécile !

— Nous n'en avons jamais douté, mademoiselle. Si je vous comprends bien, vous pensez qu'il aurait pu maquiller son suicide en crime crapuleux, afin d'éviter, par exemple, que le poids de la honte ne retombe sur sa famille ?

— Oui, exactement. Car il était assez ingénieux pour mettre en œuvre une pareille mise en scène.

— Qu'est-ce qui vous faire dire ça ?

Le sourire qui naquit sur les lèvres de Pénélope troubla le policier, qui fronça les sourcils pour se donner une contenance professionnelle.

— Puisque vous me proposez de ressasser les vieux souvenirs... allons-y. (Elle se carra dans son fauteuil et leva les yeux vers le treillage au-dessus d'elle.) L'année qui a précédé son départ, et donc, en somme, depuis que je suis ici, il n'a cessé de multiplier les ruses pour entraver... disons mes sorties. Vous comprenez, moi, je n'avais pas l'habitude d'être enfermée en cage.

— D'après ce que j'ai compris, vous êtes la fille de son meilleur ami, Charles Ellis, n'est-ce pas ? intervint le Dr Twist.

— Oui, c'est cela. Papa était un homme assez ouvert, qui n'attendait plus rien de la vie depuis la mort de maman. Il m'a toujours dit d'en profiter et... Enfin bref, oncle Fred voyait les choses à sa manière. Plus d'une fois, il m'a pistée.

— Je me suis laissé dire que vous rentriez déjà fort tard, à l'époque ? fit remarquer Hurst.

— Est-ce un crime ? repartit Pénélope, avec une lueur narquoise dans les yeux.

— Non, mais cela explique son attitude à votre endroit.

— Je l'admets. Mais les cheveux collés en travers de la porte, afin de vérifier si je ne sortais pas de ma chambre la nuit, ses remontrances dans les restaurants, ses leçons de morale devant mes amis... Ou encore ces farces qui me mettaient drôlement dans l'embarras ! Enfin farces si on peut appeler ainsi le fait d'avoir crevé les quatre pneus de la voiture d'un compagnon, m'obligeant ainsi à marcher et à ne rentrer qu'au petit matin.

— Comment ? Il aurait fait ça ? s'exclama le Dr Twist. Vous en êtes sûre ?

— Oui, quasiment, bien qu'il n'ait jamais voulu me l'avouer. Soit dit entre parenthèses, il prétendait avoir passé toute la nuit à me rechercher dans un autre secteur.

— Curieux bonhomme ! commenta Twist qui n'en revenait pas.

— Je vous passe les détails sur mes retours au bercail. Mais je n'ai jamais capitulé ! Ni devant lui, ni devant personne, d'ailleurs.

— Vous pensez au major ?

Pénélope sourit mais ne répondit pas.

Hurst consulta ses notes, puis demanda :

— D'après certaines informations, il semblerait que vous ayez eu un entretien assez houleux avec votre parrain la veille du drame. Est-ce exact ?

Un nouveau sourire teinté d'ironie passa sur son visage.

135

— Les murs ont des oreilles, dit-elle.

— Oui, surtout si on hausse le ton. De quoi fut-il question ?

Pénélope écrasa sa cigarette dans le cendrier, et son visage se durcit imperceptiblement.

— Eh bien... oui. Oncle Fred était de fort mauvaise humeur. Il m'a houspillée, traitée de tous les noms, dit que j'étais une... enfin les mots ont dépassé sa pensée.

— Cela, nous le savons, coupa l'inspecteur. Mais pourquoi, justement ?

— Parce qu'il venait de recevoir des lettres.

— Des lettres ? De qui ?

— Une du restaurant *L'espadon*. J'avais invité mes amis le mois dernier pour mon anniversaire et... j'avais oublié de régler la note. La seconde provenait du garage où je fais faire les révisions de la voiture. Lors de la dernière, j'avais demandé de changer le revêtement des sièges, car le cuir commençait à être fatigué. Et... je ne pensais pas que ce soit aussi cher. Oncle Fred lui-même en avait été estomaqué. Je lui ai dit que je n'y étais pour rien, que c'étaient des voleurs, que je ne mettrais plus les pieds là-bas. Il n'a rien voulu entendre et a commencé par me dévider le chapelet de ses reproches habituels, mes sorties et tout le reste, enfin comme il le faisait dans le temps.

— Cette voiture était la sienne, n'est-ce pas ? Je veux dire avant qu'il ne parte ?

Pénélope haussa les épaules.

— Oui. Mais si je m'en sers — et on me le reproche assez souvent — c'est parce que personne d'autre, ici, n'est capable de le faire. Le major ne fait guère confiance à sa jambe blessée et pour Ruth, ce n'est même pas la peine d'en parler. Ils me font rire, car ils sont bien contents de m'avoir quand il s'agit de les promener quelque part !

Hurst revint ensuite sur l'incident de la fuite des araignées et la disparition du dossier rapporté par Waddell. Pénélope pâlit, semblant revivre l'épouvantable soirée, tandis qu'elle essayait d'en retracer chaque instant. Elle ne put apporter aucun élément nouveau, si ce n'étaient ses soupçons contre Foster.

— À ce moment-là, j'étais presque certaine qu'il était responsable de l'incident, ne serait-ce qu'à cause du moyen choisi pour faire diversion, avec ces sales araignées. (Elle poussa un profond soupir.) Dieu merci, elles ne sont plus dans cette maison, à présent ! Ses confrères de l'Institut de sciences sont venus les récupérer ce matin même.

— Ils ont aussi pris Pénélope la fileuse ? s'inquiéta Twist.

— Sans doute, oui. Je ne suis pas allée vérifier. Pourquoi ?

— Parce qu'elle a été témoin du crime, énonça le détective avec gravité. Enfin, si nous avons besoin d'elle, nous saurons où la trouver. Mais continuez, je vous en prie.

— Donc, oui, je soupçonnais fortement oncle Fred... de ne pas être oncle Fred, et d'avoir manœuvré ainsi pour faire disparaître ses empreintes digitales. Mais je n'étais pas la seule, bien sûr. Pour Mr Waddell, cela ne faisait pas le moindre doute. Il était furieux. Et oncle Fred — je continue à l'appeler ainsi malgré tout — lui aussi. Après un nouvel interrogatoire serré pour confronter nos souvenirs, il s'est fâché, en affirmant que désormais, il n'y reviendrait plus. Le dossier était clos. Tout cela, je l'avoue, avait l'accent de la sincérité, et nous a fait douter une fois de plus. James, quant à lui, affirme que ce n'est pas son oncle qui a libéré les araignées...

— Comment le sait-il ? questionna Hurst, abrupt.

— Il prétend connaître le coupable...

Hurst roula des yeux surpris.

— Comment ? s'exclama-t-il. Et il vous a dit son nom ?

Pénélope secoua la tête avec un regard de commisération.

— Oui, mais allez lui poser la question vous-même. C'est tellement farfelu !

15

HISTOIRE DE LILLIPUTIENS

Il régnait un silence impressionnant dans la chambre du crime, où Hurst avait convoqué le garçon, pensant ainsi l'intimider davantage. Le policier décida en outre de ne pas aller droit au but, préférant jouer au chat et à la souris. Il était près de 5 heures de l'après-midi et les rayons obliques du soleil n'effleuraient plus que les parties hautes de la pièce, allumant des reflets d'or sur les bordures de passementerie qui ornaient le dessus du lit à baldaquin.

Après avoir fait grincer les marches du plancher, en allant et venant au centre de la pièce, il déclara d'une voix ferme :

— James, mon garçon, te rends-tu compte que tu es la dernière personne à avoir vu l'oncle Fred vivant ?

— Non, monsieur l'inspecteur.

— Comment ?

— C'est l'assassin.

Silence. Hurst adressa un coup d'œil complice à son ami, puis reprit :

— C'est juste, mon garçon. Mais saurais-tu peut-être de qui il s'agit ?

Le garçon réfléchit très sérieusement avant de répondre en hochant la tête :

— Eh bien... je crois que oui.

Hurst parut sidéré l'espace de quelques secondes, puis il retrouva progressivement son sourire félin.

— Tu sais, James, on m'a dit que tu es très intelligent, pour ton âge...

— C'est vrai, je le sais.

— Alors je n'aimerais pas que tu nous racontes des calembredaines.

— Ce n'est pas mon genre, croyez-moi.

— En es-tu bien sûr ?

— Mais oui, demandez aux autres. D'ailleurs on me reproche toujours d'être trop sérieux !

— Bon, je veux bien te croire. Alors, je t'écoute. De qui s'agit-il ?

— De la même personne qui a libéré les araignées.

Sur ces mots, il gagna la commode. Faisant une grimace en bandant ses muscles, il tira vivement le tiroir du haut. Emporté par son mouvement, il faillit tomber.

— Tiens, ça c'est débloqué d'un coup ! Bizarre... L'autre fois, c'était fermé. Mais je crois comprendre pourquoi.

Il exposa en détail ses derniers instants en compagnie de son oncle, qui ne lui avait pas laissé reprendre son jouet.

— Regardez, dit-il en extirpant du tiroir

140

— qu'il avait déposé sur le plancher — une grande maquette représentant Gulliver cloué au sol, ficelé comme un saucisson, au milieu d'un attroupement de Lilliputiens, de la taille de soldats de plomb. N'est-ce pas superbe ?

— Remarquable, fit le Dr Twist, qui avait rejoint le garçon pour admirer la scène miniature. Qui a bien pu faire ce chef-d'œuvre ? Serait-ce toi, James ?

Le garçon approuva vivement de la tête, non sans fierté.

— Et il y a déjà quelque temps, dit-il.

— Après qu'on a appris la triste fin de ton oncle, je veux dire la première fois, en Amazonie ?

— Oui. Gulliver, c'est lui, bien sûr, et les Lilliputiens, les sauvages qui l'ont attaqué...

— Extraordinaire, commenta le Dr Twist, fasciné par le soin de la réalisation de l'œuvre.

Les Lilliputiens, placés judicieusement autour du captif, étaient peints avec grand soin, si bien qu'ils donnaient une troublante impression de réalisme. Quant à Gulliver, son visage ressemblait à s'y méprendre à celui du professeur Foster.

L'inspecteur fit entendre une quinte de toux bruyante, puis déclara :

— Twist, vous ne croyez pas qu'il y a mieux à faire ? Nous étions sur le point d'apprendre...

Ignorant son intervention, le détective demanda :

— Et qu'en a dit ton oncle ?

— Je ne sais même pas s'il a vu cette maquette, répondit James avec un air de déception. Oh ! il a dû la voir, mais sans bien regarder ! Il savait que c'était dans cette commode que j'avais mis la plupart de mes jouets.

Avec curiosité, Twist ouvrit les trois autres tiroirs. Le deuxième était quasi vide, avec juste quelques grandes images, et les deux autres remplis à ras bord de jouets divers.

— On dirait que vous cherchez un indice, Twist ? s'exclama le policier. Nous avons déjà regardé tout ça.

— Vous, peut-être, mais pas moi.

— Oui, parce que vous vous obstiniez à examiner la serrure et la fenêtre avec sa toile d'araignée. En tout cas, je peux vous dire que rien n'a changé.

— Vous auriez pu me signaler la présence de cette petite merveille, Archibald.

Hurst haussa les épaules. James vint au-devant de lui, affirmant :

— Si, quelque chose a changé ! Je l'ai déjà dit : avant qu'oncle Fred n'arrive, j'avais un mal fou à ouvrir ce tiroir...

— Et alors, qu'en conclus-tu, mon garçon ? persifla le policier. Que cela a un rapport avec le crime ? Que c'est une manœuvre du coupable ?

— Oui.

La voix de Hurst s'enfla soudain, comme

142

si une bourrasque venait de balayer la pièce :

— *Alors dis-nous qui il est !*

James le regarda d'un air boudeur, précisa qu'il n'était pas sourd, puis désigna sa maquette :

— Là... Je suis sûr que c'est l'un d'entre eux, ou peut-être même plusieurs... D'ailleurs, le ou les Lilliputiens se sont sans doute échappés. Je ne les avais pas comptés à l'époque, mais je suis sûr qu'il en manque quelques-uns.

Le policier ferma un instant les yeux, s'efforçant au calme, puis demanda :

— Les Lilliputiens auraient tué le professeur ? Je te croyais pourtant intelligent, James.

— Je le suis !

— En tout cas, dommage que tu n'aies pas prévenu ton oncle.

— Mais je l'ai prévenu ! Et même plusieurs fois ! Je lui ai dit qu'il devait se méfier des Lilliputiens qui l'avaient capturé ! Ils allaient forcément revenir un jour pour se venger !

Hurst affecta un air profondément étonné :

— Pour autant que je sache, ce ne sont pas des Lilliputiens qui l'ont capturé, mais des Indiens d'Amérique du Sud.

— Si, c'étaient des Lilliputiens ! Il me l'a dit ! Car je lui ai même posé la question !

— Le territoire de Lilliput se situerait donc en Amazonie ?

— Non, non ! glapit James, soudainement écarlate. Ce n'est pas ce que je voulais dire ! Les Lilliputiens, ce n'est qu'une façon de parler. Les Indiens qui l'avaient retenu prisonnier étaient tout petits, comme des Lilliputiens ! C'est cela qu'il a dit ! Je peux même vous le jurer !

Hurst eut du mal à réprimer son amusement.

— Pas des Lilliputiens, mais des Indiens petits comme eux. Évidemment, dans ce cas, ça change tout !

— Vous vous moquez de moi, monsieur ?

Les lames de plancher grincèrent derechef sous les pas nerveux du policier, qui se tourna subitement vers son jeune interlocuteur.

— Expose-nous alors ta théorie !

James, impressionné par le ton brutal du policier, ne parla qu'après un silence.

— J'ai songé à eux dès qu'on a constaté que les araignées ne s'étaient pas échappées toutes seules. C'est un geste fourbe, qui correspond bien à leur mentalité, et c'étaient des araignées de chez eux. Ils pouvaient donc très bien les diriger vers la terrasse...

— Et pourquoi auraient-ils fait ça ?

— Mais pour tuer le professeur, bien sûr !

— Ce jour-là, ils se sont pourtant contentés de voler des papiers importants !

— Oui, c'est vrai, convint James en bais-

144

sant la tête. Je n'ai pas encore bien réfléchi à la question. Ils devaient simplement vouloir lui faire peur, avant de passer véritablement à l'attaque. Car ce sont eux qui l'ont tué avant-hier, c'est certain. Et ne vous y fiez pas, inspecteur ! Ce sont certes des sauvages, mais ils sont malins comme des singes ! D'ailleurs, ils sont les seuls à avoir pu commettre ce meurtre.

Hurst ne put s'empêcher de ricaner :

— Ils se seraient faufilés sous la porte avant de s'enfuir dans le couloir ? Et c'est à cause de leur petite taille que le major ne les aurait pas aperçus ?

— Et pourquoi pas ?

James, toujours rouge comme une tomate, semblait profondément vexé par l'ironie mordante du policier.

— Pourtant, ajouta-t-il, je ne pense pas qu'ils soient partis par là. Je songe plutôt à la fenêtre. C'était quand même moins risqué, car le major est bon observateur, tout le monde le sait. Ils se sont tout simplement glissés au travers des fils tendus par l'araignée. Les espaces près du rebord de la fenêtre correspondent à leur taille.

— Je vois... Ils ont donc filé par là et ne sont plus revenus. Oui, c'est parfaitement logique. Mais dis-moi, James, je ne vois toujours pas le rapport avec le tiroir coincé ?

Une lueur de colère s'était à présent allumée dans les yeux du garçon.

— Mais si : c'est parce qu'ils préparaient leur mauvais coup à ce moment-là ! Ils étaient dans la commode, en train de bander leurs muscles pour que je n'arrive pas à ouvrir, pour que je ne les prenne pas sur le fait, pour que je ne fasse pas capoter *in extremis* leur plan de vengeance !

Hurst fit mine de réfléchir un instant, puis répondit :

— Vraiment, j'ai du mal à croire à ton histoire. Ce tiroir s'est coincé parce que tu étais sans doute impatient de l'ouvrir.

James se planta devant le corps massif du policier et dit d'une voix déterminée :

— Non ! Et je vous le prouverai !

16

OÙ L'ON PARLE D'HIPPOCRATE

Hurst invita son ami à faire quelques pas à l'extérieur. Il avait besoin de se détendre les nerfs, envie de fumer un bon cigare tout en pouvant parler librement.

— Le professeur Foster assassiné par des Lilliputiens ? grommelait-il en remontant l'allée de gravier. Je vous demande un peu ! J'ai déjà entendu des énormités dans ma carrière, mais jamais rien de tel, foi d'Archibald ! Une hypothèse farfelue, selon miss Pénélope ? Elle aurait dû dire complètement délirante, oui !

— On vous avait pourtant prévenu, mon ami. James fait encore montre d'une certaine naïveté, malgré son intelligence.

— Naïveté ? Je trouve plutôt qu'il a l'âge mental d'un gamin de 5 ans ! Comment ce Sanders, qui a pourtant l'air d'être un type sensé, a-t-il seulement pu envisager la culpabilité de ce gosse ? De deux choses l'une, Twist : ou ce gamin est très fort, c'est-à-dire une sorte de génie, avec en outre un don pour la comédie hors du commun à son âge, ou alors c'est un attardé mental.

— Difficile à croire. Avez-vous bien observé sa maquette, Archibald ? La conception aussi bien que la précision des détails dénotent un savoir-faire et un sens de l'observation très poussés, qu'on serait en peine de retrouver chez certains adultes. Quant à sa théorie farfelue, je dirais que vous l'avez piqué au vif. Vous avez joué avec son orgueil blessé, vous l'avez littéralement acculé, contraint à pousser son raisonnement dans ses derniers retranchements. Il ne pouvait s'en tirer autrement qu'en disant des énormités. D'ailleurs, j'ai eu le sentiment que vous comptiez d'emblée n'en faire qu'une bouchée, n'est-il pas vrai ?

— Oui, c'est possible, convint le policier en secouant la cendre de son cigare. La moutarde commençait à me monter au nez. Je ne sais pas si vous vous en rendez compte, mais nous n'avons toujours pas avancé d'un pouce ! Toutes les questions restent posées. Et nous étions là à l'écouter patiemment nous débiter ces sornettes.

— Réflexion faite, cette histoire de tiroir coincé pourrait être une piste.

— Vous plaisantez ?

— Non, ce peut être un objet caché par l'assassin qui l'a coincé, un objet nécessaire pour l'élaboration de son tour et, bien sûr, que nul ne devait découvrir avant l'instant fatal.

— Mais de quel objet s'agit-il ?

148

— Aucun idée, avoua Twist en s'arrêtant devant la Jaguar ivoire, dont la capote était rabattue.

— Que faites-vous ?

— Je vérifie que cette adorable Pénélope ne nous a pas raconté d'histoire. Non, semblerait-il... Ces sièges viennent d'être refaits, le cuir est tout neuf.

— Ça ne doit pas être donné, un engin pareil, fit remarquer Hurst, songeur.

— Foster était riche, vous le savez bien.

— Justement, et je me demande si nous ne sommes pas en train de chercher midi à 14 heures, quelque chose qui crève pourtant les yeux.

— On l'aurait tué pour sa fortune ?

— Oui. Et le problème de son imposture n'en est même pas un, puisque dans les deux cas, l'homme constituait un obstacle à l'héritage. Or, la question de cet héritage est fort simple. Elle était du reste sur le point de se débloquer, et les récents événements n'y changeront rien, en somme. Mrs Foster est la légataire de tous les biens de son mari.

Twist se retourna pour considérer Black House, dont seule la toiture d'ardoise brillait aux derniers rayons du couchant.

— Avec son infirmité, elle a un alibi à toute épreuve.

— Tout le monde en a un, et ce, aussi longtemps que nous n'aurons pas percé le mystère de cet assassinat !

— D'après vous, ce serait donc elle la veuve noire de ce drame ?

Un sourire sarcastique illumina le visage rougeaud du policier.

— La veuve noire ? On ne saurait mieux dire, Twist, d'autant qu'elle s'apprête à porter le deuil une nouvelle fois, et pour le même homme qui plus est. En outre, elle était sur le point de se remarier... ce qui lui donne une double raison d'avoir éliminé le professeur Foster. Il est très possible qu'elle ait fait appel à un complice pour cela, et dans ce cas, nous n'aurions pas à le chercher très loin. Vous voyez de qui je parle ? Un homme de confiance, qui avait autant d'intérêts qu'elle dans l'histoire. En un mot : son fiancé le Dr Hugues.

— Je ne vois pas d'objection à votre théorie, Archibald, hormis le mur auquel nous nous heurtons toujours.

D'un ton professoral, Hurst poursuivit sur sa lancée :

— Nous le réduirons en poussière, faites-moi confiance. J'ai toujours professé que les apparences étaient la maladie de notre profession, mais cette affaire en est un nouvel exemple. Ainsi : des Indiens, une forêt vierge, des araignées géantes, un aventurier ressuscité, un imposteur, ou un faux imposteur, des Lilliputiens, des lutins et je ne sais quoi encore ! Passez un gros coup de balai la-dessus, nettoyez toutes ces toiles d'araignée qui masquent la vérité, et la lumière surgira de l'ombre, aveuglante comme le soleil !

Twist leva la tête vers une des fenêtres à l'étage et se caressa la moustache.

— Avant toute chose, il nous faudrait interroger Mrs Foster. Mais elle est sous tranquillisants, depuis le drame et le Dr Hugues nous a déconseillé de lui imposer une telle épreuve.

— Un coup facile à jouer pour lui, grogna l'inspecteur de Scotland Yard. Mais nous devons lui parler malgré tout, ne serait-ce que quelques instants.

— Et si nous interrogions d'abord le Dr Hugues ? Il est ici, car je viens de l'apercevoir à la fenêtre.

— Oui, bonne idée, je meurs d'envie de lui dire deux mots.

L'entretien se déroula sur la terrasse. Pâle et l'air tourmenté, le Dr Hugues avait pris place dans un des fauteuils d'osier. Twist se dit qu'il ferait bien de consulter un de ses confrères.

— Nous vivons un drame, messieurs, déclara-t-il. Un véritable drame.

— Il y a mort d'homme, c'est bien naturel, approuva Hurst.

— Oh je ne songeais pas seulement aux disparus ! soupira le médecin en baissant les yeux. Eux, au moins, ils reposent en paix. Et il y a même des moments où, vraiment, je les envie... Car ce que nous vivons,

Ruth et moi, ces temps-ci, est un véritable cauchemar. Et j'ai bien peur qu'elle ne s'en remette jamais.

Le visage du médecin s'éclaira quelque peu lorsqu'il évoqua son arrivée à Royston, puis ses retrouvailles avec Ruth, son amie d'enfance. Puis, ses yeux s'emplirent de tristesse, à mesure qu'il détaillait la lente dégradation de la vue de sa patiente.

— La lecture était sa plus grande passion, expliquait-il. Elle aimait à s'installer sur cette même terrasse et se plonger dans un bon roman d'aventures. Elle adorait Rudyard Kipling et avait plusieurs fois relu son célébrissime *Livre de la jungle*. Elle aimait bien cet endroit parce que la vue qu'il offre lui rappelait un peu cette histoire. Elle l'aime toujours aujourd'hui, mais ce n'est plus pareil... Elle ne le voit plus que par sa pensée, ses souvenirs. Lorsque j'ai commencé à lui lire des histoires, il s'est produit quelque chose entre nous... qu'il est très difficile d'expliquer. J'étais ses yeux, elle était mon cœur, car il palpitait rien qu'à sa vue, au plaisir qu'elle prenait à m'écouter. Nous ne formions plus qu'un. En fait, nous n'osions nous avouer ce que nous ressentions l'un pour l'autre.

— Je comprends, trancha Hurst. Mais comment réagissait son mari, pendant tout ce temps ? Ne trouvait-il pas étrange que vous passiez tant de temps ensemble, quand bien même vous fussiez son médecin traitant ?

— Foster était toujours un homme très occupé. Moi-même, je le voyais à peine. Lorsqu'il a enseigné à Worcester, deux ou trois ans avant son départ, c'était pire encore. Je dirais même qu'il a franchement délaissé sa femme. Ruth en était très affectée. Car elle l'aimait malgré tout. Et entre nous, j'ai fini par apprendre pourquoi. Je n'en ai jamais parlé à Ruth, car elle en aurait trop souffert.

— Une maîtresse ? hasarda Hurst.

— Oui, approuva gravement le Dr Hugues. Une secrétaire de l'établissement où il enseignait.

— L'histoire classique...

— Ce n'était qu'une rumeur, que je tenais d'un ami professeur de langues dans le même lycée. C'est pourquoi je vous demanderai la plus grande discrétion. Mais il faut dire que cela concordait avec ses absences réitérées. La dernière année, il est allé travailler à l'Institut de sciences. Je pense qu'il a dû réaliser qu'il rendait Ruth très malheureuse, car depuis ce changement d'affectation, il ne s'absentait plus guère en dehors de ses heures de travail. Il avait dû mettre un terme à son aventure et était redevenu, en quelque sorte, homme au foyer. Mais moi, par contre, j'ai espacé mes visites, notamment celles du soir. L'arrivée de sa filleule lui a posé d'autres problèmes, mais ceci est une autre histoire. Je dirais que Ruth se portait bien mieux à ce moment-là. Puis il y a eu son départ pour le Brésil...

Le Dr Hugues fit une pause. Derrière ses lunettes, qu'il venait de rajuster d'un geste machinal, on devinait une émotion grandissante.

— La nouvelle de sa mort, de sa première mort, si je puis m'exprimer ainsi, fut un choc pour Ruth. Mais la vie reprit son cours. Elle réalisa alors ce que j'étais vraiment pour elle, et nous décidâmes de nous marier. J'étais en train d'enterrer ma vie de garçon lorsque j'appris la nouvelle de son retour. Mais vous connaissez, messieurs, la suite de l'histoire.

Hurst opina du chef, sensible malgré lui à la détresse du médecin, puis poursuivit son interrogatoire, en posant quasiment les mêmes questions qu'aux témoins précédents.

— Je pense que Foster connaissait nos projets, répondit gravement le Dr Hugues. Il avait pu l'appendre par n'importe quelle personne « bien intentionnée » du village, ou même d'ailleurs. Ce n'était pas un secret. Cependant, Ruth et moi hésitions à lui en parler. Malgré les circonstances, nous avions comme l'impression de l'avoir trahi. Mais ça me revient maintenant, il savait vraiment. Nous avions eu quelques mots la veille de sa mort, ce qui est d'autant plus fâcheux.

— Où il était question d'Hippocrate, n'est-ce pas ?

— Oui, précisément...

— Précisément ? s'étonna le Dr Twist en

154

regardant par-dessus son pince-nez. Mais quel rapport peut-il y avoir entre... (Un sourire effaça soudain les rides creusées sur son front.) Par les archontes d'Athènes, je crois avoir compris : Foster a dû faire allusion au fameux serment du père de la médecine, n'est-ce pas !

Le Dr Hugues approuva avec un sourire amer :

— Oui. Il me l'a expressément rappelé, en soulignant notamment qu'un praticien ne devait pas abuser de ses malades. Allusion on ne peut plus claire. Il devait être très contrarié pour me lancer des piques aussi méchantes.

— Était-ce dans un accès de jalousie ?

— Peut-être, réfléchit Paul Hugues. Mais sa mauvaise humeur remontait à l'incident des araignées.

— On pourrait en conclure que ce n'était pas lui qui l'avait provoqué. Ce qui tend à démontrer qu'il n'était pas un imposteur, cela et le fait d'être jaloux, puisqu'un faux mari n'aurait aucune raison de l'être.

— À moins que tout ça ne fût que comédie, conclut Twist avec un sourire empreint de lassitude et en se levant. C'est triste à dire, mais nous n'en sortons pas. C'est lui, ce n'est pas lui, c'est de nouveau lui... la vérité rebondit comme une balle de tennis en plein match. La seule personne qui puisse trancher la question, à mon avis, est Mrs Foster elle-même.

— Depuis le drame, j'évite d'aborder ce sujet avec elle.

— Mais vous ne verrez pas d'inconvénient à ce que nous lui parlions quelques instants, n'est-ce pas, docteur ?

— Ne soyez pas long et ne la tourmentez pas, implora le médecin. Elle n'a déjà que trop souffert avec cette tragique histoire.

17

LA VEUVE PARLE

La maîtresse de maison était assise dans une bergère près de la fenêtre ouverte de sa chambre. Elle regardait un point imaginaire au-dehors avec une étrange fixité. La soie rose de sa robe de chambre et ses longs cheveux blonds soulignaient la douceur de son visage et sa beauté angélique.

Lorsque les détectives lui eurent exprimé leurs condoléances, elle demanda au Dr Twist de lui décrire le paysage. Fort des précisions du médecin, le détective peignit un tableau bucolique, teinté d'exotisme, avec des arbres et des haies qui relevaient davantage des Indes décrites par Kipling qu'un paysage campagnard peint par Constable ; et le jour qui tombait accentuait naturellement cette impression.

Une expression de soulagement parut sur son visage.

— Alors, rien n'a changé, dit-elle. Cet endroit est resté tel que je l'ai vu lorsque, jeune mariée, je suis arrivée à Black House pour la première fois. Quand je pose la question à Paul, il me fait toujours la même description, mais je le soupçonne de farder la vérité rien que pour me faire plaisir. Pauvre Paul... Je crois qu'il est encore plus touché que moi par la mort de mon mari. Il ressent un affreux sentiment de culpabilité.

— Votre mari ? releva Hurst. Vous en êtes bien certaine, désormais ?

Mrs Ruth Foster tarda à répondre, mais le calme de sa voix apporta à ses paroles plus de poids qu'une réplique instantanée.

— Maintenant, oui...

— Mais nous venons justement d'en parler avec votre... médecin.

— Je pourrais vous dire qu'il est des choses qui ne peuvent tromper une épouse.

— Et vous ne le saviez pas la dernière fois que la police vous a posé la question ?

— Non, je n'avais pas de certitude absolue. J'étais sous le choc de la nouvelle, et trop d'événements s'étaient enchaînés dans la foulée. Cette photo incroyable, les araignées, puis la disparition de ce dossier. J'ai fini par douter.

— Et maintenant qu'il est mort, vous n'avez plus de doute ?

— Oui, si vous voulez. Mais ce n'est pas sa mort en soi qui m'a apporté cette certitude.

— Quoi, alors ?

Les larmes montèrent aux yeux de Mrs Foster, tandis que les ombres du soir s'allongeaient dans la pièce.

— Une discussion, murmura-t-elle. Une discussion que nous avons eue la veille du drame. Frederick était venu me trouver ici-même. Cela m'a tellement bouleversée, que je n'en ai pas encore parlé à Paul.

Ruth Foster ne parvint pas à contenir ses sanglots. Les détectives détournèrent pudiquement la tête, puis elle reprit :

— Ce qu'il m'a appris m'a laissée sans voix. J'étais à la fois terriblement déçue et apitoyée. Il m'a d'abord expliqué que son départ n'avait pas uniquement une cause professionnelle. En fait, il a profité d'une occasion qui lui avait été offerte pour s'exiler volontairement. Il voulait s'isoler un certain temps, afin de faire le point sur lui-même. Il avait déjà remarqué qu'entre Paul et moi, il y avait quelque chose, même si nous n'en étions pas encore conscients l'un et l'autre. Mais ce n'est pas tout. Lui, entre-temps, avait fait la connaissance d'une jeune personne, dont il était tombé follement amoureux...

Hurst et le Dr Twist échangèrent un bref coup d'œil, qui échappa à la veuve.

— Il a mis un certain temps pour comprendre qu'il s'était trompé sur ses sentiments, continua Mrs Foster, la voix entre-coupée de sanglots, mais il était ressorti meurtri de cette aventure, déchiré, honteux, ne sachant plus du tout où il en était. Il m'aimait toujours, mais il ne se pardonnait pas de m'avoir trompée. Et c'est pour cela qu'il a choisi le salut dans la fuite... L'homme dont on a retrouvé le corps un an plus tard était bien celui de ce Peter Thomson, mortellement agressé par la bande de sauvages comme il l'a dit. Mais c'est là que s'arrête la véracité de son récit. Comme son associé lui ressemblait et qu'il était dans un piètre état, il a eu l'idée de mettre ses papiers dans la veste du cadavre, afin de se faire passer pour mort. Il comptait alors disparaître totalement du monde civilisé, vivre avec des indigènes dont il avait fait la connaissance, afin de pouvoir s'adonner entièrement à sa passion, l'observation de la nature et des animaux.

— Mais au bout de deux ans, il a fini par changer d'avis, fit Twist en hochant la tête.

— Oui. L'envie lui était déjà venue un peu plus tôt, mais il était d'un caractère assez obstiné et hésitait à opérer un nouveau virement de bord radical dans son existence. Il a néanmoins fini par admettre qu'il n'était pas fait pour cette vie-là. Et surtout, il avait définitivement choisi... J'étais la seule personne au monde qui comptait pour lui. Et il est revenu. Il n'ignorait rien des difficultés qui l'attendaient, aussi bien sur le plan administratif que sentimental. Mais il était prêt à tout pour me reconquérir, et à prendre au besoin le temps qu'il faudrait.

Ruth Foster parvint à terminer *in extremis* son récit avant de fondre en larmes.

Les deux détectives hochèrent silencieusement la tête. La détresse de la veuve semblait attester l'authenticité de son témoignage.

— Comment avez-vous réagi à ses aveux ? demanda Hurst après un moment de silence.

— Comme maintenant, j'ai beaucoup pleuré...

— Et lui ?

— Il est sorti... et nous n'en avons plus reparlé.

— Etait-ce cela qui lui avait mis les nerfs à vif ?

— Oui, je crois. Il devait être furieux contre lui-même. Mais cela s'ajoutait au reste, à la suspicion qui pesait sur lui. Il semblait s'en amuser au début, mais plus du tout après le vol du dossier. Et d'autres menus détails se sont ajoutés.

— Était-il désespéré ? Ou estimait-il avoir encore des chances de renouer avec le passé, c'est-à-dire avec vous ?

— Je crois que nous l'ignorions l'un et l'autre. C'est pourquoi j'ai dit à Paul que je ne savais vraiment plus où j'en étais.

— Théoriquement, il aurait donc pu se donner la mort dans une crise de remords ?

— Oui, j'y ai pensé lorsqu'on m'a annoncé la terrible nouvelle... mais il paraît que ce n'était pas possible.

La venue de Bates mit fin à l'entretien. Le domestique venait faire savoir à l'inspecteur qu'il était demandé au téléphone.

Lorsque Hurst eut raccroché le combiné, il semblait profondément songeur. Son front était légèrement moite. D'une voix assez calme, il déclara à son compagnon, demeuré dans le hall d'entrée :

— C'était Waddell. Il appelait de Worcester. Un coup de chance, cette fois-ci. Il est allé fouiner dans les archives militaires de la ville, où il a trouvé un ancien dossier de Foster.

— Avec ses empreintes digitales ?

— Oui. Elles sont en tout point semblables à celles du mort. Nous n'avions donc pas affaire à un imposteur. Ce qui confirme le témoignage que nous venons d'entendre.

Le Dr Twist jeta un coup d'œil dans le couloir silencieux et chichement éclairé par de petites appliques murales au globe dépoli.

— La lumière se fait petit à petit, mais elle ne chasse pas les ténèbres pour autant.

— Nous avons fait un grand pas, cependant.

— Certes, mais où nous mène-t-il ? Ne croyez pas que je cherche à compliquer les choses à loisir, Archibald, mais nous en sommes toujours au même point. Meurtre ou suicide ? Et dans les deux cas, comment le drame a-t-il pu se produire ? Quant au vol du dossier rapporté par Waddell, il semble désormais franchement absurde, vu que Foster n'avait aucune raison de se rendre coupable d'un tel acte. Alors qui et pourquoi ?

La main toujours sur le combiné, Hurst poussa un profond soupir :

— Vous n'êtes pas très encourageant, Twist, vraiment...

Une porte grinça, un bruit de pas rapides résonna dans le couloir, puis la silhouette du petit James apparut à l'intersection. Il s'apprêtait à filer tout droit, lorsqu'il aperçut les détectives. Il bifurqua dans le corridor et vint à leur rencontre.

— Alors, mon garçon ! lança Hurst d'une voix sonore. On progresse dans son enquête ?

— Oui, répondit James sur le même ton. J'ai réussi à savoir comment a fait l'assassin pour quitter les lieux.

— Tu veux dire les Lilliputiens, je suppose ?

Le visage de James était à contre-jour, mais les détectives virent nettement ses traits se renfrogner.

— Très drôle, monsieur l'inspecteur. Sachez en attendant que je ne me suis pas trompé : *l'assassin est bel et bien passé par le tiroir !*

18

LA FIN DE GULLIVER

Comme de coutume, James fut le premier à se lever de table. Le major venait d'allumer un cigare après que Charlotte lui eut servi une tasse de café. Pénélope, Ruth et le Dr Hugues n'avaient guère été loquaces durant le dîner, mais cette fois-ci, la maîtresse de maison se redressa et demanda, inquiète :

— Qu'est-ce qui lui prend, aujourd'hui ? Je le sens nerveux en diable. Il a failli me renverser tout à l'heure dans le couloir.

Avec une moue éloquente, Pénélope soupira :

— Il doit encore être en train de bricoler je ne sais quel truc abracadabrant. Je l'ai vu trimbaler sa vieille maquette avec les nains.

— Moi, fit le major, je l'ai vu rôder dans le bureau.

— À mon avis, intervint Bates, qui commençait à desservir, il joue au détective.

— Il ne se rend pas vraiment compte de

ce qui est arrivé, dit Mrs Foster en secouant la tête.

— Oui, approuva le major. Il n'a jamais eu le sens des réalités. Mais enfin, il a l'excuse de l'âge...

Sur ces paroles, l'ancien militaire se leva, puis sortit de la pièce à son tour. On entendit son pas légèrement irrégulier décroître dans le couloir. Les occupants de la pièce l'imaginèrent se diriger vers la véranda, s'installer à sa place favorite, prendre un jeu de cartes et commencer à édifier ses sempiternels châteaux de papier. Ce qui était conforme à la réalité. Le major avait en effet exécuté les gestes habituels. Ce soir-là, pourtant, il ne semblait pas posséder sa dextérité coutumière. Ses mains ne tremblaient pas tandis qu'il assemblait une première série de cartes, mais on devinait un manque de concentration. Son esprit semblait ailleurs. Il avait le regard méfiant de l'époque où, durant ses nuits de garde, il scrutait les ténèbres sur les remparts d'une citadelle, l'arme à la main et l'oreille aux aguets. Rien ne se passait, le calme et le silence régnaient alentour, mais il sentait comme l'odeur du danger dans la moiteur de l'air...

Bien que les nuits à Royston ne fussent pas aussi chaudes que celle de Khartoum ou de Fachoda, il éprouvait ce soir-là un curieux sentiment d'oppression. La maison semblait avoir accumulé la chaleur de l'été, notamment durant ces dernières journées très clémentes.

Mais il n'était pas le seul à avoir une telle impression. Le Dr Hugues avait très chaud dans sa veste de gabardine lorsqu'il quitta Ruth vers 9 heures du soir, après lui avoir donné un sédatif pour la nuit. Les révélations de sa fiancée l'avaient grandement perturbé. Alors qu'il descendait l'escalier comme un automate, il croisa Bates. Inquiet de son air abattu, le majordome lui proposa un petit cordial avant de partir.

Après une courte hésitation, le Dr Hugues déclara que c'était une excellente idée, puis gagna le salon. Il aperçut alors Pénélope, confortablement installée sur la terrasse, dans un des grands sièges en osier. Elle aussi paraissait avoir très chaud. Elle ne portait plus le tailleur qu'elle avait à table, mais une robe de chambre légère, à peine fermée sur ses magnifiques jambes fuselées. L'une d'entre elles, repliée, et le pied reposant sur un tabouret, s'offrait presque entièrement à la vue du médecin, qui sentit son pouls s'accélérer. La jeune fille, plongée dans la lecture d'un magazine, ne se redressa que lorsqu'il fut à sa hauteur. Son regard surpris croisa le sien, puis s'arrêta sur sa jambe largement dénudée, qu'elle couvrit aussitôt pudiquement.

— Oh ! excusez-moi ! lui dit-elle en souriant. Je ne pensais pas que c'était vous, docteur.

— C'est à moi de m'excuser, Pénélope,

bredouilla Paul Hugues en desserrant son nœud de cravate. Je me sens si éprouvé par cette affaire que je n'ai pas refusé le rafraîchissement que m'a proposé ce brave Bates... (Après un silence embarrassant, il ajouta :) Cela ne vous dérange pas que je vous tienne compagnie quelques instants ?

— Oh ! mais pas du tout, répondit-elle. Bien au contraire, Paul. Enfin si vous permettez que je vous appelle ainsi ?

— Bien sûr, depuis le temps que nous nous connaissons !

— Je ne sais pas ce que j'ai ce soir, mais j'ai les nerfs en pelote, déclara-t-elle en se tournant vers le jardin et les alentours plongés dans l'obscurité.

— Après tout ce qui s'est produit ces jours-ci, comment s'en étonner ? Du reste, vous n'êtes pas la seule à être dans cet état, vous savez.

Bates entra dans le salon à ce moment-là et posa la boisson sur la table. Il repartit aussi discrètement qu'il était arrivé. Un long silence s'ensuivit, puis Pénélope dit à brûle-pourpoint :

— Un jour, dit-elle, je partirai d'ici.

Le Dr Hugues déposa son verre après avoir pris une large rasade.

— Pourquoi ? Vous ne vous y plaisez pas ?

— Si, mais je voudrais tout oublier. Tout... Ce drame, bien sûr, mais le reste aussi.

— Le reste, c'est-à-dire ?

Toujours tournée vers le jardin, elle haussa les épaules.

— Ces aventures sans lendemain, cette vie insipide et sans but. J'aimerais bien connaître autre chose.

— L'aventure, avec un grand A ?

— Appelez ça comme vous voulez. Ce que je souhaiterais, ce serait une présence aimante, simple, et toujours à mes côtés, autant un ami fidèle qu'un amoureux passionné, quelqu'un sur qui vous pouvez compter, quelqu'un qui...

Elle n'acheva pas. Un nouveau silence se fit. Sentant dans sa gorge l'agréable douceur provoquée par l'alcool, Paul Hugues se dit que le whisky pouvait à l'occasion se révéler plus efficace que les médicaments qu'il prescrivait. Il prit une seconde gorgée et éprouva une nouvelle fois cette sensation de mieux-être. Sa voix lui semblait même plus assurée lorsqu'il demanda :

— Auriez-vous trouvé le prince charmant, Pénélope ?

— Non, pas encore, répondit-elle. Mais cela viendra peut-être un jour...

— Cela viendra sûrement un jour, ma chère.

— On dit que, parfois, on cherche très loin quelque chose qui se trouve pourtant tout près de vous.

— Cela arrive, oui. Le bonheur ne se trouve pas forcément aux antipodes ! Mais je ne comprends pas bien ce que vous voulez dire ?

Lorsque le médecin croisa son regard, la jeune fille, qui le fixait de ses grands yeux bleus, battit des paupières puis baissa la tête.

— Rien, je ne sais pas, bredouilla-t-elle. Enfin je veux dire que je ne suis pas encore très sûre de ce que je ressens. Il me faut encore réfléchir et... Je crois que je ferais mieux d'aller me coucher, à présent.

Sur ces paroles, elle se leva. Le Dr Paul Hugues sentit de nouveau une curieuse sensation lui titiller l'épiderme en apercevant les longues jambes de la jeune fille se dévoiler l'espace d'une seconde. Elle lui adressa un timide sourire lorsqu'elle passa devant lui, puis s'éloigna vers la porte. Quand elle eut quitté la pièce, le Dr Hugues resta figé dans sa pause, voyant encore la gracieuse silhouette se mouvoir devant lui et sa chevelure bouclée flotter sur ses épaules. L'air était parfumé de son discret parfum qui lui troublait l'esprit.

Il secoua la tête, vida d'un trait son verre de whisky, puis sortit à son tour.

L'horloge du corridor venait de sonner 11 heures. Le silence régnait à Black House. Aucune fenêtre n'était éclairée, ni à l'étage ni au rez-de-chaussée. Pourtant, dans le couloir, un rai de lumière filtrait de la porte entrebâillée de la cave. On perçut alors un bruit de pas feutré, puis le grincement de la porte. Les marches menant au sous-sol gémirent à leur tour. Quelqu'un, avec d'infinies précautions, se rapprochait de la source lumineuse, qui provenait d'une salle faisant office d'atelier, où étaient entassés pêle-mêle des outils et du matériel de jardinage. Une cheminée occupait un angle de la pièce. Un léger bruit métallique meublait le silence. Penché au-dessus d'une boîte, James brassait son contenu, mélange de vis, d'écrous et de clous.

Il se redressa soudain. L'espace de quelques secondes, il parut effrayé, mais il se rassura aussitôt en reconnaissant le visage, légèrement dans l'ombre, qui venait d'apparaître dans l'embrasure de la porte. Son regard semblait tranquille et bienveillant, mais un observateur avisé n'aurait pas manqué de remarquer la lueur étrange qui y brillait.

— Que fais-tu là, James ? demanda l'arrivant à voix basse.

— Je suis en train de résoudre un mystère.

— Quel mystère ?

James réfléchit un instant en considérant la maquette qu'il avait déplacée dans la cave, son support y compris.

— On pourrait appeler cela le mystère de la disparition des Lilliputiens.

Un sourire passa sur le visage demeuré dans la pénombre.

— C'est très drôle, James. Mais dis-moi plus exactement de quoi il s'agit.

— Tout simplement du truc de l'assassin

pour s'enfuir de la pièce sans laisser de trace derrière lui.

— Et tu aurais trouvé ce stratagème ?

— Oui, je crois.

— Fabuleux. Tu peux me le montrer ?

— Bien sûr.

Il ne fallut guère de temps au petit James pour faire la démonstration de la justesse de ses déductions.

— C'est simple comme bonjour, conclut-il, mais il fallait y penser, n'est-ce pas ?

— Oui, en effet. Dis-moi, en as tu déjà parlé aux policiers ?

— Non, ils ne veulent pas me croire. Je leur ai pourtant donné un indice.

— C'est ce que j'ai cru comprendre. Mais c'est bien que tu aies tenu ta langue. Ils n'ont qu'à se débrouiller tous seuls. Ils sont assez grands et c'est leur métier.

— Oui, c'est vrai, approuva James avec détermination.

— Alors que fais-tu ?

— Eh bien je cherche la dernière preuve.

— Laisse tomber, ça ne sert à rien. Il vaudrait même mieux faire disparaître tout ça. Je vais commencer par faire du feu dans la cheminée.

— Quoi, ma belle maquette de Gulliver, avec les Lilliputiens ?

— Oui. Tu auras tout le temps d'en faire une autre. Viens, aide-moi.

— Mais pourquoi ? gémit James, les yeux arrondis de stupéfaction. Cela m'a demandé tellement de temps et...

— Parce que c'est mieux ainsi. Je t'expliquerai quand nous aurons terminé. Et ne parle pas si fort, tu vas réveiller toute la maison.

19

HURST BÂTIT DES CHÂTEAUX

Les deux détectives avaient entendu les témoignages des domestiques dès le début de l'enquête. Grâce à eux, ils avaient été informés des vives discussions qui avaient opposé Foster à la plupart de ses proches. Ils s'étaient également entretenus avec le major, mais uniquement sur l'aspect technique du crime. Ils trouvèrent l'ancien militaire à son « poste » habituel, dans le recoin près de la véranda, après s'être présentés à Black House en milieu de matinée.

Edwin Brough abandonna volontiers son édifice de papier et écouta attentivement les détectives lui résumer la situation.

— Foster n'était donc pas un brigand, commenta-t-il. Voilà une excellente nouvelle.

— Nous l'avions déjà appris hier soir, précisa Hurst, le regard tourné vers la petite rangée de cartes dressées, mais nous voulions être certains du fait avant de vous l'annoncer officiellement. Cela étant dit, Mrs Foster savait déjà à quoi s'en tenir.

Un pli se creusa soudain entre les sourcils du major.

— Mais alors... s'il s'agissait bien de lui, pourquoi aurait-il fait disparaître ses propres empreintes, qui auraient pourtant clarifié la situation à son avantage ?

— Tout simplement, parce que c'est quelqu'un d'autre qui s'en est chargé. Quelqu'un qui avait intérêt à ce qu'on le prenne pour un imposteur. C'est en tout cas la conclusion à laquelle nous sommes parvenus. À moins que vous n'ayez une autre idée ?

— Non, réfléchit le major. Mais qui aurait eu intérêt à maintenir cette suspicion ?

— Ça, c'est une question plus délicate, fit Hurst en prenant une carte sur la table. Mais si on se donne la peine d'y réfléchir, il y a des réponses qui s'imposent plus que d'autres.

— Je suppose que vous faites allusion aux « fiancés » ?

Hurst prit une seconde carte, puis demanda :

— Vous permettez ?

— Je vous en prie, inspecteur. C'est un excellent exercice de patience.

Posant le premier élément de la seconde rangée, le policer sourit en s'efforçant à la modestie.

— La patience n'est pas précisément mon point faible... Oui, donc vous comprenez ce que cela implique. Car il est vraisemblable que le voleur du dossier et l'assassin du professeur ne font qu'un.

— Grand Dieu ! s'exclama le militaire. J'ose à peine y croire !

— Et pourtant, admettez que c'est une déduction assez logique. Néanmoins, nous n'en sommes pas encore là. L'enquête bute toujours sur le *modus operandi* du crime. Et tant que cela... que cela... Bon sang de bon sang, on dirait qu'il y a du savon sur ces cartes !

Un œil fermé, la langue pendante, Hurst tentait vainement de réussir son premier assemblage.

— Vous n'avez peut-être pas l'habitude de les manier ? suggéra poliment le militaire.

— C'est vrai, oui, mais comme je suis très patient de nature, cela ne devrait poser aucun problème. Car c'est bien connu, mille tonnerres ! Patience et longueur de temps font plus que force ni que rage !

Au bout d'un moment, le visage rougeaud du policer se fendit d'un large sourire. Il venait enfin de réussir son premier assemblage.

— Savez-vous qu'un troisième enquêteur s'est penché sur ce mystère ? fit remarquer Edwin Brough.

— Un détective en herbe ? s'enquit le Dr Twist en souriant.

— Oui, le cadet de la maison, notre

James, qui semble marcher sur vos brisées, messieurs les détectives.

— Nous le savons, dit sèchement Hurst. Il nous a déjà fait part hier soir d'une de ses brillantes explications, que je n'ose même pas vous répéter.

— Il n'est pas sot, méfiez-vous. Vous avez affaire à un redoutable concurrent.

— Sans doute, mais je me demande si ce garçon n'a pas un peu.. comment dire...

— Une araignée au plafond ? proposa l'ancien militaire, sarcastique.

— Vous me sortez les mots de la bouche, major. Enfin on m'avait prévenu qu'il avait une certaine tendance à la mythomanie, avec sa thèse des Lilliputiens assassins, qui se seraient enfuis par le tiroir...

— Il est vrai que cet enfant nous pose un certain problème. Il s'ennuie à l'école, tant il est à l'aise dans la plupart des matières, au point que certains professeurs ont proposé de lui faire sauter une classe, alors qu'il a déjà une année d'avance sur l'âge normal. D'autres, au contraire, affirment qu'il manque par trop de maturité. Mais à propos, c'est bizarre, je ne l'ai pas encore aperçu ce matin. Que diable est-il en train de mijoter ? Tiens, mais voilà Bates... Allons lui poser la question.

Le majordome déclara n'avoir pas davantage aperçu le garçon.

— Alors allez le réveiller, ordonna Edwin Brough. Dites-lui que nous avons besoin de ses lumières !

176

Quand Bates se fut éloigné, Hurst revint sur le problème de la fuite du meurtrier tout en poursuivant le deuxième étage du château de cartes.

— C'est évidemment la clé de l'énigme. Nous avons déjà passé plusieurs fois les faits en revue avec vous, major, mais il est un point sur lequel nous n'avons pas insisté, concernant les instants qui ont suivi la découverte du drame. Après les premiers constats, vous avez fini par sortir du bureau du professeur, laissant ainsi la pièce vide et sans surveillance jusqu'à l'arrivée de la police.

— Sans surveillance ? Non. Nous étions dans le couloir, je vous l'ai dit !

— Ici-même ?

— Non, plutôt du côté de l'entrée. Enfin nous ne sommes pas restés plantés comme des piquets. Nous avons fait quelques pas, comme on le fait lorsqu'on attend avec impatience. Si quelqu'un était retourné dans le bureau, nous aurions dû l'apercevoir.

— Et s'il était entré par la fenêtre ? suggéra le Dr Twist. L'accès était dégagé, puisque vous avez déchiré la toile.

— Oui, évidemment, c'est possible, convint le militaire d'assez mauvaise grâce. Mais il aurait quand même fallu un sacré culot...

— ... qui n'est plus à prouver, comme en témoigne l'exécution de son crime. Et de

177

combien de temps aurait-il disposé, dans ce cas ?

— Une demi-heure, quarante minutes... J'avoue n'avoir pas regardé ma montre. Mais je pense à une chose : l'araignée avait de nouveau tissé sa toile lorsque nous sommes revenus avec les policiers.

— Il ne lui faut qu'une vingtaine de minutes pour ce faire, précisa Twist, songeur. Ce qui, en théorie, en a laissé autant pour le criminel. Disons qu'il a disposé d'une bonne dizaine de minutes.

— Et comment les aurait-il utilisées ?

Tandis que Twist demeurait silencieux, Hurst, qui venait d'achever un niveau entier, demanda à son tour :

— Me feriez-vous des cachotteries, Twist ? Vous semblez avoir une idée derrière la tête...

— Pas exactement. Je songeais simplement à cette maquette d'enfant et à ce tiroir bloqué... qui ne l'était plus par la suite.

— Allons, ne me faites pas rire ! Ne me dites pas que vous accordez foi aux sornettes d'un gamin !

— Notre criminel a pourtant usé d'une certaine astuce, que nous devons forcément chercher dans cette pièce. Et comme nous n'avons rien trouvé...

— Vous avez raison, souligna le major. Et j'aimerais à ce sujet vous faire part, non pas d'une théorie précise, mais d'un simple soupçon.

— Je vous en prie, dit Hurst, le front

plissé, alors qu'il entamait la périlleuse édification du troisième niveau.

— L'idée que le meurtrier est passé par cette fenêtre, avant ou après le crime, ou les deux à la fois, me semble assez séduisante, car elle apparaît malgré tout comme la moins impossible.

— C'est un point de vue, ricana Hurst, le visage tendu par l'effort. Car j'ai passé deux nuits entières à me demander comment on pouvait traverser une toile d'araignée en la laissant intacte... mais continuez, je vous en prie.

— Cette fenêtre, je vous le rappelle, est orienté vers l'ouest. Or, si vous suivez cette direction en ligne droite, après avoir franchi une double haie, être passé devant une écurie, et avoir traversé un verger, vous tombez droit sur... la ferme des Sanders.

— Et c'est là qu'il faudrait chercher le meurtrier, selon vous ?

Le major parut embarrassé.

— Il ne s'agit que de soupçons, je vous le répète. Mais puisqu'il y a un criminel dans cette affaire, il faut bien le chercher quelque part, non ? Et mon avis est que John Sanders est le meilleur possible. C'est un chic type *a priori*, je ne dis pas le contraire. Nous nous entendons relativement bien et je lui donne même régulièrement un coup de main pour la cueillette des pommes. (Il regarda sa jambe avec un pauvre sourire et ajouta :) Enfin dans la mesure de mes modestes moyens. Je crois que ce type n'a jamais digéré l'ancienne rebuffade à propos des vergers. Il s'était passé un certain temps avant que les choses ne s'arrangent. Or, la veille du drame, Foster l'avait plus ou moins envoyé sur les roses. Frederick me l'a dit lui-même en revenant de chez son voisin.

— L'ennui, fit remarquer Hurst, c'est que ce monsieur possède un alibi assez solide. Ce matin en arrivant, nous avons justement discuté avec les deux amis en sa compagnie au moment crucial. Ils ne l'ont pas quitté de midi à 4 heures. Il y a juste un trou de dix minutes lorsqu'il est monté dans sa chambre pour aller se changer après dîner. Il est vrai que c'était aux alentours de l'heure fatale...

— Dix minutes, pour parcourir quelque trente mètres et commettre ce crime ? N'est-ce pas suffisant ? En tout cas, c'est bien davantage que ce dont nous disposions, nous, les proches de la victime !

Hurst ne fit aucun commentaire. Il venait de faire un faux mouvement, qui entraîna la chute de tout un étage. La première carte du précédent vacilla, puis le reste suivit, ainsi que la base, le tout en un lent mouvement coulé que le policier accompagna du regard. Lorsqu'il ne resta plus qu'un tas de cartes épars et immobile, sa mèche rebelle tomba devant son front. Son visage sembla alors gonfler sous l'effet de sa colère contenue, et Bates apparut sur les entrefaites. Son visage singulièrement livide contrastait

avec celui du policier, écarlate. Son débit
haché était également fort inhabituel :

— Charlotte vient de retrouver James...
dans la cave... mort...

20

OÙ IL EST QUESTION DE FICELLE
ET DE TIROIR

Lorsqu'on emmena le corps du garçon,
en milieu d'après-midi, les deux détectives
et Waddell demeurèrent quelque temps
dans l'atelier de la cave sans échanger un
mot. Tous trois regardaient l'endroit où
l'infortuné James avait été découvert,
comme s'il s'y trouvait encore, gisant
devant le foyer, allongé sur le ventre, la tête
touchant le socle en pierre de la cheminée,
et la tempe droite portant la marque d'un
coup violent. Le médecin légiste avait situé
sa mort la veille, entre 22 heures et minuit.
La cause semblait évidente : le garçon
s'était cogné la tête en tombant sur le socle
de granit de la cheminée. Il y avait sur le sol
quelques boulettes de charbon, provenant
d'un seau rempli à ras bord, déposé dans
un coin du mur. On découvrit des traces de
charbon sur les semelles des chaussures de
la victime, ainsi que sur ses mains.
Pour Waddell, les circonstances du
drame paraissaient claires : le gamin avait

renversé le seau de charbon par inadvertance, puis ramassé son contenu, comme en attestaient ses mains sales. Mais opérant à la hâte, il avait oublié quelques morceaux, et c'est en glissant sur l'un d'entre eux qu'il tomba. Le Dr Twist et Hurst demeuraient très sceptiques quant à cette théorie, aussi évidente puisse-t-elle paraître. Ils étaient persuadés d'être en présence d'un nouvel assassinat. Le médecin légiste n'avait rien découvert de suspect dans la blessure à la tempe de la victime, tout en convenant qu'elle pouvait fort bien avoir une autre origine que celle d'une chute, tel un coup porté avec une des grosses clés accrochées à un panneau de bois, ou avec un des pavés retrouvés entassés dans un autre coin de la cave, comme le lui suggéra le Dr Twist. Les lieux recelaient encore bien d'autres objets susceptibles d'avoir rempli cette fonction funeste, mais aucune trace suspecte, aucun indice ne furent découverts, malgré les recherches minutieuses des enquêteurs.

Par ailleurs, il semblait un peu curieux que le seau à charbon fût plein. Bates et sa femme pensaient qu'il était vide, mais sans pouvoir être catégoriques, car ils n'entraient qu'occasionnellement dans l'atelier. Le major paraissait être le dernier à avoir utilisé ce combustible, mais les faits remontant à l'hiver dernier, il ne se souvenait plus de l'état dans lequel il avait laissé le seau. Entre-temps, personne n'avait songé à examiner son contenu. En revanche, il n'y avait pas le moindre doute sur les cendres découvertes dans l'âtre de la cheminée, toutes récentes. Intrigué, Twist avait demandé à un agent de police de les recueillir soigneusement.

— Je n'ose pas croire qu'on ait pu assassiner cet enfant, grommela l'inspecteur Hurst après un long silence. Et pourtant, je me refuse à envisager toute autre solution.

— Tout à fait d'accord avec vous, convint Twist, morose et les yeux rivés à la cheminée de pierre.

— Vraiment, messieurs, intervint Waddell, nerveux et le regard fuyant, je trouve que vous allez un peu vite en besogne ! Un nouvel assassinat ? Après tout ce qui s'est déjà passé ici ? Vous ne trouvez pas que les choses sont déjà suffisamment complexes comme cela ? Et pourquoi diable aurait-on assassiné ce gamin ?

— Pour l'empêcher de parler.

— Aurait-il démasqué le coupable ?

— Je l'ignore. Mais il avait percé à jour l'ingénieux stratagème qui lui a permis de s'enfuir du bureau... ce qui revient à peu près au même.

— Comment le savez-vous ?

— Parce qu'il nous en avait touché un mot... n'est-ce pas Archibald ?

L'inspecteur de Scotland Yard émit un grognement avant de répéter à Waddell leur conversation avec James. Lorsqu'il eut terminé, il ne contenait sa fureur qu'à grand-peine :

— Qui aurait accordé foi à une explication aussi délirante ? Aucune personne sensée, convenez-en ! Ce malheureux gamin nous a assuré hier soir que l'assassin est passé par le tiroir... et comme par hasard, il meurt quelques heures plus tard.

Waddell, perplexe, demanda dans un murmure :

— Vous croyez alors... aux Lilliputiens ?

— Non ! s'emporta Hurst, écarlate. Ni aux Lilliputiens ni aux lutins ! Mais je ne renie pas non plus l'évidence, surtout quand elle crève les yeux !

Waddell acquiesça, l'air de plus en plus déconfit. Il suivit d'un regard presque mécanique le doigt du Dr Twist qui indiquait la cheminée.

— Les cendres qui se trouvaient dans ce foyer sont sans doute les restes de ce tiroir et de la fameuse maquette, dit le détective. Nous en sommes pratiquement sûrs, car ni l'un ni l'autre ne sont plus à leur place, ni ailleurs dans la maison. De plus, plusieurs personnes ont vu James les transporter dans la cave.

— Mais pourquoi les aurait-il brûlés, s'il s'agissait d'indices aussi précieux ?

— Cet autodafé est évidemment l'œuvre de l'assassin, répondit le Dr Twist avec gravité. Il avait compris que les conclusions du garçon étaient à prendre au sérieux et, à n'en pas douter, il a dû être intrigué par ses manœuvres durant la journée et le fait qu'il poursuive ses investigations, ici, jusque tard dans la nuit. Il a alors vraisemblablement attendu que la maisonnée soit endormie pour passer à l'acte. Mais ce faisant, notre individu a commis une légère erreur. Certes, il a fait disparaître une pièce à conviction capitale, mais en même temps... il nous a donné le meilleur garant de son importance.

— Alors, fit remarquer Waddell, les yeux ronds, pour vous aussi, les Lilliputiens sont au cœur du problème ?

— Sans le moindre doute. Je vous propose d'ailleurs de retourner au bureau pour réfléchir plus avant à notre énigme.

Durant la demi-heure suivante, le Dr Alan Twist ne cessa d'aller et venir dans le bureau de feu le professeur, examinant tour à tour la serrure de la porte, les fenêtres, l'armoire et surtout la commode, qui présentait désormais un grand vide à la place du premier tiroir. Archibald Hurst, marmonnant dans sa barbe, le suivait comme un petit caniche, tentant vainement de suivre le cours des réflexions du détective, en l'interrogeant de temps à autre, mais sans succès. Le Dr Twist demeurait muet comme une tombe. Waddell, nerveux et mal à l'aise, ne tenait pas en place lui non plus. À 5 heures sonnantes, Bates apparut sur le pas de la porte et proposa une tasse de thé aux détectives.

— Excellente idée, fit le chef de la police. Mais après cela, mes amis, si vous n'y voyez pas d'objection, je vais rentrer au bureau pour commencer mon rapport et...

— J'aimerais que vous nous rendiez un petit service, déclara soudain le Dr Twist.

Une ombre d'inquiétude passa sur le visage de Waddell, qui demanda néanmoins avec bonne grâce :

— Oui, bien sûr, de quoi s'agit-il ?

— Mener une petite enquête au lycée de Worcester où travaillait jadis feu le professeur Foster. Il avait là-bas une aventure avec une secrétaire. Essayez de retrouver cette personne, car son témoignage pourrait nous être précieux.

— Oui, comptez sur moi, dit le chef de la police qui, trop heureux de pouvoir s'en aller, tourna les talons et quitta la pièce sans même attendre le retour du domestique.

Lorsque Bates revint avec un plateau chargé de tasses et d'une théière fumante, Twist lui demanda s'il n'avait pas entendu de bruit suspect durant la nuit. Le majordome leva un sourcil vaguement surpris.

— Personne n'a rien entendu de particulier, monsieur. Il me semble avoir déjà répondu à cette question. Mais si je peux me permettre une réflexion personnelle, cela ne me paraît guère étonnant, car les chambres à coucher sont toutes au premier étage. Le bruit d'une chute dans la cave, voire un petit cri, serait difficilement perceptible.

— J'en prends bonne note, Bates. Mais

ce que je vous demandais, c'était n'importe quel bruit, même à l'étage, comme celui d'une porte qui s'ouvre et d'une personne qui se lève la nuit...

Le domestique posa un doigt songeur sur ses lèvres, puis répondit :

— C'est possible, oui. Mais vous savez, nous ne faisons plus guère attention à ces bruits-là. On y est tellement habitué qu'on ne les entend plus.

— Et hier soir, vers 11 heures, vraiment rien qui...

Twist s'interrompit soudain. Agenouillé devant la commode, sa tasse de thé à la main, il paraissait très intrigué par l'ouverture béante du meuble. Puis il remercia le domestique avant même d'avoir entendu sa réponse. Quand celui-ci eut quitté la pièce, Hurst fit remarquer à son ami avec une note d'ironie dans la voix :

— Mon cher Alan, quelque chose me dit que vous voulez être seul pour réfléchir.

— Il y a de cela, Archibald, en effet.

— Au point que vous congédiez même un témoin en mesure de vous fournir des informations de la plus haute importance.

— De la plus haute importance ? Non, je ne le crois pas. Quand bien même une personne se serait levée la nuit à cette heure-ci, nous ne pourrions l'accuser de meurtre pour autant. En fait, je posais ces questions machinalement. Bates est bon observateur. S'il avait vu ou entendu quelque chose d'important, il nous l'aurait déjà signalé. Mais regardez plutôt ceci, Archibald... Voyez-vous ces deux trous de part et d'autre de l'ouverture ?

Le policier se rapprocha en fronçant les sourcils puis, après quelques secondes d'examen, approuva d'un signe de tête.

— Oui, en effet. On dirait qu'il y avait là deux clous.

— Je penche plutôt pour des vis.

— Sans doute le petit James qui...

— Non, ce n'est pas lui. Nous ne pouvons plus le vérifier à présent, mais je parie qu'il y avait également deux petits trous semblables dans le tiroir, aux mêmes endroits... Comprenez-vous ?

— Eh bien, franchement... non.

— On l'avait sans doute bloqué au moyen de deux petites vis le jour de l'assassinat du professeur. Et c'est pour cela que James n'a pas réussi à l'ouvrir. Tenez, prenez celui du bas, et ouvrez- le. Vous voyez que le bord de la façade dépasse d'un bon centimètre. Il suffit de faire un trou sur ses petits côtés avec une fine chignole...

— Et de visser le tiroir sur le meuble, d'accord. Mais pourquoi aurait-on fait cela ?

— Pour qu'on ne voie pas son contenu, répondit le Dr Twist, sombre et pensif.

Le visage du policier s'empourpra soudain.

— Mais justement, ce contenu, quel était-il ? La maquette du Gulliver, hein ?

Cela, nous le savons déjà, non ? Puisqu'il est clair, désormais, que notre assassin est un Lilliputien ! Twist, si vous ne me dites pas immédiatement ce qui vous passe par la tête, je sens que je vais perdre, à la fois mon latin et ma patience, car...

— La maquette de Gulliver ? fit le détective en se caressant la moustache. Non. Elle devait être à ce moment-là dans le tiroir du bas. Il y avait de la place pour elle. Voyez, il est quasi vide, avec juste ces quelques images au fond.

— Mais alors... qu'y avait-il donc ? s'étrangla le policier. Un mécanisme monstrueux ?

— Si je vous le disais, vous ne me croiriez pas.

— Twist, à partir de maintenant, je sens que je ne vais plus pouvoir répondre de mes actes, si vous ne me dites pas sur-le-champ...

— Soit. Alors voilà : il n'y avait rien.

— *Rien* ? répété Hurst, les yeux en vrille. Vous... vous dites n'importe quoi pour gagner du temps...

— Vous voyez bien, je vous avais prévenu. Mais il est vrai que je ne suis pas encore tout à fait sûr de mon affaire. Pour cela, il me faudrait une ficelle. Pourriez-vous vous en occuper ?

Après une ou deux secondes de stupeur, Hurst partit comme un trait. Il haletait comme un lévrier quand il revint, porteur d'une pelote de ficelle.

— À la bonne heure ! s'exclama Twist en prenant l'objet. Il ne m'en fallait pas tant, mais cela conviendra parfaitement.

— N'était-elle pas un peu... trop épaisse ? s'inquiéta le policer.

— Non, pas du tout. Son épaisseur n'a aucune importance. Autre chose, Archibald. Pourriez-vous aller trouver le jeune policier chargé de l'examen des cendres ?

— Il est parti au laboratoire.

— Je sais. Je pense qu'il devrait avoir terminé, à présent. J'aimerais savoir ce qu'il a trouvé.

Hurst partit au pas de course une fois de plus. Il ne revint qu'une heure plus tard, après s'être rendu à Worcester en voiture. Il trouva Twist installé dans le fauteuil où Forster avait été assassiné, vaguement souriant et absorbé dans la contemplation de la fenêtre. Le policier avait le visage fermé. Il sortit de sa poche une enveloppe, qu'il tendit à son ami en disant :

— À part la poignée, il n'y avait pas grand-chose. Et encore, rien ne prouve que ce n'était pas là avant...

— Des vis ?

La mèche de Hurst se rabattit soudain sur son front.

— Bon sang, comment le saviez-vous ?

— Parce que je l'ai deviné, répondit malicieusement le Dr Twist en s'extrayant du fauteuil. Mais voyons plutôt...

Il s'empara de l'enveloppe, l'ouvrit et en

retira d'abord un objet en métal assez volumineux, disant :

— Ça, c'est évidement la poignée du
tiroir. Elle est visiblement semblable aux
trois autres. Ce qui confirme bien notre
hypothèse. Et là... quelques vis... Six exactement. Vous voyez, Archibald, deux de
tailles ordinaires, et quatre plus petites.

— Merci de ces précisions, persifla
Hurst. Mais je les ai déjà examinées. Maintenant, si vous me disiez à quoi elles ont pu
servir.

— Comment ? s'étonna Twist en rajustant son pince-nez. Vous n'avez pas encore
compris ?

— Non, je ne sais rien à part le fait que
notre assassin « s'est enfui par le tiroir »,
pour reprendre les derniers mots du malheureux garçon.

— Mais c'est exactement cela, Archibald ! s'exclama le Dr Twist avec une sorte
de joie enfantine dans le regard.

— J'entends bien. Je suppose cependant
qu'il s'agit d'une image.

— Comme une de celles dans le second
tiroir ? Ce sont pourtant de simples images
de Noël et...

— Mais non ! Je veux dire une expression
imagée pour nous mettre sur la voie !

Twist secoua doucement la tête en souriant.

— Pas du tout, Archibald. Pourquoi toujours compliquer les choses à loisir ! Non,

James parlait bien au premier degré. Notre assassin a exécuté le professeur Foster lorsqu'il était dans ce fauteuil, en lui plaçant ensuite l'arme entre les doigts pour faire croire à un suicide, et ensuite... pfuit ! il a disparu par là !

Twist avait accompagné ses étonnantes paroles d'un geste vif, désignant successivement le fauteuil puis la commode.

Hurst avait suivi le mouvement de ses yeux stupéfaits, qui s'étaient arrêtés sur l'ouverture béante du meuble.

— C'est une plaisanterie... n'est-ce pas ? bredouilla-t-il. Vous faites peut-être allusion au tiroir d'Alice, je veux dire son miroir.

— Pas du tout. Il n'y a rien de miraculeux dans ce cas de disparition. L'assassin s'est bel et bien enfui par le tiroir.

21

LES DEUX HARPIES

Assise dans sa bergère, près de la fenêtre ouverte, Ruth Foster paraissait perdue dans la contemplation du ciel. Son regard semblait encore plus apathique qu'à l'ordinaire. Pas un muscle de son visage ne bougeait, ni même ses mains posées symétriquement sur les accoudoirs.

Le Dr Paul Hugues l'observait du coin de l'œil. Il avait l'impression de tenir compagnie à un mannequin. Ou plus exactement à une poupée. Une belle poupée, mais une poupée triste. Ni les doux rayons du soleil ni le gai pépiement des oiseaux dans les arbres alentour ne semblaient avoir une quelconque influence sur son humeur.

Il soupira avant de rompre le long silence qui s'était établi entre eux :

— Je sais que nous vivons des instants très pénibles, ma chérie. Mais il ne faut pas perdre espoir. Cette longue suite de malheurs prendra fin un jour, c'est certain.

— Puisses-tu dire vrai, Paul, dit Mrs Foster d'une voix sans timbre. Moi, je n'y crois plus guère. D'abord, il y a eu l'annulation de notre mariage...

— Ce fut un sacré choc pour moi aussi, crois-moi !

— ... puis le retour de Frederick, la polémique sur cette photo, les soupçons qui ont suivi, le vol de son dossier... et son décès. Et hier, celui de James...

— C'est fini maintenant, ma chérie, je te l'assure.

— Ce n'est jamais fini pour les personnes nées sous le signe du malheur. Elles sont destinées à souffrir, à voir disparaître autour d'elles les gens qu'elles aiment.

— Le temps effacera tout, tu verras !

— Je crois déjà t'avoir entendu dire ça, Paul.

— C'est vrai, et nous avons bien failli réussir, n'est-ce pas ? D'ailleurs je suis sûr que tout ce que nous subissons maintenant ne fera que renforcer nos sentiments.

Ruth Foster répondit avec un sanglot dans la voix :

— Je commence à en douter, Paul... Je t'ai déjà dit que je ne sais plus moi-même où j'en suis depuis que Frederick m'a parlé...

— Pour te dire qu'il t'a trompée pendant près d'une année ! s'emporta le médecin. Et je ne parle pas de sa lâche fuite qui a suivi.

— Cela ne prouvait-il pas qu'il m'aimait toujours ? Vois-tu, lorsqu'il m'a dit qu'il était prêt à tout recommencer, qu'il était plus sûr que jamais de ses sentiments, après ces trois années de purgatoire dans la jungle, j'ai hésité, douté de moi, de toi, de nous, de tout...

Paul Hugues était parvenu à endiguer la vague de jalousie qui venait de monter en lui. Il déclara d'une voix presque maîtrisée :

— C'est normal, ma chérie, c'est tout à fait normal. Le fait de le revoir, après tout ce temps, et dans de telles circonstances, cela t'a profondément bouleversée. C'est une réaction contraire de ta part qui eût été étonnante.

— Et maintenant, il est reparti, et pour toujours.

Le Dr Hugues observa un long silence, avant de reprendre :

— De toute manière, l'un d'entre nous était de trop. Il a fini par le comprendre, par réaliser les dégâts qu'il avait causés.

— Paul ! Nous ne savons même pas comment il est mort !

— Dans tous les cas, il nous faut oublier. Tout oublier. Nous dire et nous redire que la vie continue malgré tout. En ce qui me concerne, ma chérie, sache que mes sentiments n'ont pas changé.

Une lueur d'étonnement passa dans les yeux de la veuve.

— Cela veut-il dire... que tu veux toujours m'épouser ?

— Plus que jamais, ma chérie.

— Mais, Paul, nous ne pouvons pas encore songer à cela, alors que...

— Le plus tôt sera le mieux, affirma le médecin qui s'était arrêté devant la fenêtre. Mais nous n'en sommes pas encore là. J'ai parlé à Pénélope et au major tout à l'heure. Ils revenaient de Worcester.

— Ah oui ! c'est vrai, soupira la veuve en baissant les paupières. Ils se sont occupés des pompes funèbres. Mon Dieu, je ne sais pas si je supporterai cette nouvelle épreuve !

— Ils ont pu obtenir une inhumation commune pour Frederick et James, prévue dans trois jours et...

Le médecin se tut soudain. L'écho d'une violente querelle leur parvenait : bruits de pas précipités sur le gravier, cris perçants et insultes outrageantes.

Mrs Foster se redressa vivement.

— Paul, que se passe-t-il ? On dirait que c'est Pénélope...

— Oui, mais je ne vois rien, répondit le médecin penché par la fenêtre. Si... là, au coin de la maison ! Elle est avec Barbara. Mon Dieu ! Mais elles sont folles ! Elles se battent comme des furies ! Ne bouge pas, ma chérie, je vais essayer de les calmer.

En ce début d'après-midi, le major n'était pas appliqué à édifier ses sempiternels châteaux de cartes. Il lisait dans le salon les documents rapportés des pompes funèbres. En entendant les cris, il se redressa, aussitôt en état d'alerte comme par le passé. Les feuilles qu'il venait de lâcher avaient à peine touché le sol lorsqu'il franchit le seuil de la pièce. Dans le corridor, il précéda même Bates et le Dr Hugues qui descendait à la hâte les marches de l'escalier. En ouvrant la porte d'entrée, il se heurta à une Pénélope qui, échevelée, hagarde et saignant des lèvres, pénétrait en trombe. Elle se réfugia dans ses bras et se mit à pleurer à chaudes larmes, tout en continuant de vociférer des épithètes peu flatteuses, destinées — ils l'apprirent par la suite, quand ses propos furent plus cohérents — à Barbara Sanders.

Le major eut toutes les peines du monde à la calmer. La jeune fille tremblait de tous ses membres. Ses joues en feu étaient zébrées de griffures.

— Quelle sale petite fouineuse ! s'étrangla-t-elle. Je l'ai prise sur le fait... Ça l'a rendue comme folle ! Et elle croyait que j'allais me laisser faire, cette espèce de bouseuse ? Pour qui me prend-elle, cette sale tigresse jalouse ? Si vous aviez vu ses yeux. Elle voulait m'écorcher vive, j'en suis sûre !

La voix lénifiante du Dr Hugues la ramena finalement à la sagesse. Elle accepta de s'installer dans un fauteuil puis se de laisser examiner.

— Il n'y a rien de grave, dit-il au bout d'un moment. Quelques cheveux arrachés, un petit bobo aux lèvres, et quelques égratignures légères sur les joues.

— Égratignures légères ? Elle voulait me défigurer, oui ! Elle ne pense qu'à cela depuis que je lui ai soufflé cet imbécile de Matt !

Paul Hugues eut un sourire rassurant.

— Croyez-moi, d'ici une à deux semaines, on n'y verra plus rien.

— Deux semaines ? C'est donc si grave que ça ? s'inquiéta Pénélope. Un miroir, je veux un miroir !

— D'abord, vous allez nous dire très sagement ce qui s'est passé...

Une heure plus tard, le Dr Twist et Archibald Hurst dégustaient une bolée de cidre dans la cuisine des Sanders. Ils étaient arrivés à Black House peu de temps après l'incident qui avait opposé les deux jeunes filles. Par l'ouverture donnant sur le salon, ils voyaient le Dr Hugues en train de soigner Barbara assise dans un fauteuil, comme il l'avait fait précédemment avec Pénélope.

John Sanders, en manches de chemise, soupirait :

— Si c'est pas malheureux de se mettre dans des états pareils pour trois fois rien. Vous comprenez, comme il y a l'écurie juste à côté, Barbara jette parfois un petit coup d'œil du côté des Foster. Et avec tout ce qui s'est passé ces temps-ci, je dirais que ce n'est pas très étonnant.

Les détectives avaient déjà entendu la version de Pénélope, qui cadrait avec celle de sa voisine, si l'on s'en tenait strictement aux mouvements de personnes. Barbara avait franchi la haie et regardait pensivement Black House, se tenant juste en face du bureau du professeur. Pénélope, remontant le sentier, l'avait surprise à cet instant. Mais l'impartialité des témoignages s'arrêtait là. Pénélope aurait simplement fait remarquer à sa voisine que la curiosité est un vilain défaut. Selon Barbara, elle l'aurait traitée d'emblée de sale paysanne curieuse, en lui crachant littéralement les mots au visage. Il y eut ensuite un échange confus d'injures, de menaces et de reproches divers, avant qu'elles n'en viennent aux mains. Barbara, mordue au pouce par sa rivale, saignait abondamment.

— Vous comprenez, reprit John Sanders, quand je l'ai vue arriver dans cet état, je me suis fait un sang d'encre et je suis aussitôt allé chercher le Dr Hugues. Il était en train d'en finir avec l'autre. Il m'a tout de suite dit qu'il n'avait pas de point de suture à faire et qu'elle s'en tirera avec un gros bandage au pouce. Mais quand même ! Quelle idée de se crêper le chignon comme des collégiennes !

Sur ces entrefaites, le médecin sortit du salon et accepta volontiers le verre de cidre que lui proposa Sanders.

— Eh bien, soupira-t-il après avoir avalé une gorgée, je ne savais pas que le sexe dit faible puisse se montrer aussi féroce ! De véritables harpies ! Mais heureusement, plus de peur que de mal !

— Si je ne m'étais pas inquiété sur le coup, gronda Sanders, je leur aurais flanqué une solide fessée à toutes les deux !

— Eh oui ! compatit Hurst en se levant. On ne louera jamais les vertus des bonnes fessées d'antan ! Mais allons dire deux mots à notre panthère numéro deux.

Suivi de Twist, il passa dans le salon et trouva Barbara, carrée dans un fauteuil, boudeuse et fixant son pouce bandé comme une enfant intriguée par un objet nouveau.

— Je ne sais pas ce qui m'a pris, déclara-t-elle, mais quand elle m'a parlé sur ce ton, je n'ai pas pu m'empêcher de répliquer... et de dire tout ce qui me restait sur le cœur.

— Miss Pénélope Ellis soutient que vous l'avez traitée de « Marie-couche-toi-là », fit remarquer l'inspecteur Hurst en sortant son calepin.

— C'est faux ! Enfin, elle exagère. J'ai peut-être fait vaguement allusion à ses habitudes de changer d'ami comme de chemise, ce qui n'est un secret pour personne, mais moi, voyez-vous, je n'ose même pas vous répéter ce qu'elle, elle m'a dit...

— À quoi vous avez répliqué sur le même ton.

Barbara secoua la tête :

— Non. Mais je lui ai quand même dit tout le bien que je pense d'elle. Cela l'a mise hors d'elle et elle s'est jetée sur moi comme une bête sauvage... Heureusement que je sais me défendre !

— À propos, que faisiez-vous ici ? la pressa Hurst.

— Mais je vous l'ai déjà dit, j'étais venue donner du foin aux chevaux, et je jetais simplement un coup d'œil par là...

Hurst la tint encore quelque temps sur la sellette, mais sans en apprendre davantage. Puis, sur un signe discret de son compagnon, il mit un terme à l'interrogatoire. Les deux détectives retournèrent dans la cuisine, où le paysan continuait de trinquer avec le Dr Hugues.

— Alors, qu'en pensez-vous ? s'enquit Sanders. Tout cela n'est pas bon pour nos relations de voisinage, n'est-ce pas ?

— En effet, répondit le Dr Twist. C'est pour cela que je vous propose une séance de réconciliation, demain après-midi à 2 heures chez les Foster. Je compte sur votre présence, Sanders, ainsi que sur celle de votre fille. J'espère qu'elle se sera calmée d'ici-là.

— Elle le sera, faites-moi confiance.

— Une séance de réconciliation ? s'étonna le médecin. Mais, voyons, Dr Twist, à part cette ridicule escarmouche de gamines, nous nous entendons très bien, comme vous pouvez le voir en cet instant même.

— Certes, mais les esprits sont bien échauffés quand même. Finalement, cet accrochage reflète assez le climat tendu de ces jours-ci. Si nous ne voulons pas que les choses s'enveniment, il faut faire la lumière sur cette sombre affaire sans plus tarder.

Surpris, le Dr Hugues rajusta ses lunettes.

— Et c'est ce que vous proposez de faire, demain, à 14 heures ?

— Oui. Enfin du moins partiellement. Sur les lieux même du crime, je vous expliquerai l'ingénieux stratagème qui a permis au meurtrier de disparaître comme par magie.

22

COMMENT TRAVERSER LA TOILE...

Tous les protagonistes du drame étaient présents dans le bureau du professeur Foster lorsque l'horloge sonna 2 heures. Le major tenait compagnie à Pénélope près de la table de travail. Les yeux de la jeune fille, encore luisants de colère, évitaient de se tourner vers le lit à baldaquin, devant lequel se tenaient John Sanders et sa fille. Barbara, les mains croisées dans le dos pour cacher son pouce bandé, avait un regard plein de hauteur qui ne lui était guère habituel. Bates, immobile et le maintien droit, semblait monter la garde près de la porte, aux côtés de Charlotte, bien plus inquiète que son mari. Mrs Ruth Foster paraissait très éprouvée par cette réunion sur les lieux mêmes du drame. Le Dr Hugues s'employait à la réconforter, mais on le sentait lui-même assez tendu.

Hurst, les bras croisés, attendait près de la fenêtre, impassible, tandis que Twist regardait par la fenêtre d'un air rêveur. Après le dernier carillon de l'horloge, le détective se tourna vers le fauteuil, puis hocha tristement la tête en disant :

— Il y a cinq jours, très exactement, que le malheureux professeur Foster a trouvé la mort ici-même, dans des circonstances qui défient l'entendement. C'est notre ami Waddell qui nous a demandé de nous occuper de cette délicate enquête, mais il ne pourra sans doute pas venir cet après-midi. Quoi qu'il en soit, sa présence n'est pas indispensable. En revanche, je regrette fort l'absence de Pénélope...

Tous les regards se braquèrent sur la jeune fille stupéfaite, y compris celui de Barbara, qui l'avait superbement ignorée jusqu'ici.

— Mais... bredouilla Pénélope, les mains ramenées à hauteur de poitrine. Je suis bien là et...

Une lueur de malice brilla derrière les verres du pince-nez du détective.

— Je parlais, miss Ellis, de l'araignée Pénélope, la petite chérie du professeur.

La jeune fille eut un rictus, puis haussa les épaules.

— Cette chère Pénélope, reprit Twist, qu'il entourait de soins attentifs et je dirai même affectifs, comme s'il s'agissait d'une maîtresse secrète, était la préférée de toutes ses protégées. Il aimait à dire qu'il était parvenu à l'apprivoiser, et ma foi, vous avez tous pu constater que l'araignée ne quittait pas cette pièce. Je regrette beaucoup son absence, car elle m'aurait permis de faire une véritable reconstitution de la ruse utilisée par l'assassin. L'Institut de sciences qui l'a récupérée n'a pas, hélas ! voulu prendre le risque de la laisser s'échapper en me la confiant. Tant pis, nous serons obligés de nous passer de Pénélope...

— Ma foi, persifla Barbara, si vous dites que sa présence n'est pas indispensable.

John Sanders foudroya sa fille du regard, mais le Dr Twist fit mine de ne pas avoir entendu et poursuivit :

— Mais commençons par le commencement. C'est évidemment dans le retour inopiné de Frederick Foster qu'il faut chercher la racine du drame. Sa « résurrection » a constitué pour l'assassin une très mauvaise surprise, au point de le décider à l'éliminer purement et simplement. Hélas ! cela ne nous renseigne guère sur son identité, car plusieurs personnes avaient des raisons d'appréhender ce retour...

» Nous savons tous, désormais, qu'il n'y avait pas erreur sur l'identité de Foster, qu'il s'était exilé volontairement pour des raisons personnelles et qu'il avait profité d'un concours de circonstances — la fin tragique de son compagnon de route — pour se faire passer pour mort. On peut donc le croire lorsqu'il a affirmé que le nom Peter Thomson inscrit sur sa propre photo est le fait d'une erreur de sa part. Une simple erreur, qui va cependant être lourde de conséquences et engendrer à son endroit les soupçons que l'on sait, au point qu'on fera appel au chef de la police de Worcester pour trancher la question. C'est à ce moment-là que l'assassin entre en scène.

» Il avait alors déjà pris la décision de se débarrasser du professeur et, pour se couvrir, de donner à son crime l'apparence d'un suicide. L'ennui, c'est que Foster n'était pas homme à se suicider. Cependant, si on le prenait pour un imposteur... cela semblerait bien plus plausible. C'est donc bel et bien le meurtrier qui a provoqué l'incident des araignées pour faire main basse sur le dossier des empreintes digitales de l'aventurier, le faisant ainsi passer pour un usurpateur, lequel, acculé, aura fini par se donner la mort. C'est du moins l'impression que le meurtrier voulait donner à son crime, mais malheureusement pour lui, son temps d'action fut si chichement compté qu'il a commis quelques erreurs.

» Des erreurs bénignes, en somme, sans véritables conséquences pour lui. En revanche, le fait d'avoir été contraint d'empiéter sur le territoire du petit James — le tiroir qui abritait la maquette de Gulliver — fut une bévue autrement plus grave. L'ingénieux garçon est parvenu à dénouer l'écheveau complexe de ce mystère, si bien qu'il a fallu le réduire au silence.

— C'est affreux... James a donc été assassiné lui aussi, gémit la maîtresse de maison en portant ses mains au visage.

— Cela ne fait pas le moindre doute,

madame, dit gravement le Dr Twist. Même si cette fois, l'assassin n'a laissé aucun indice de son forfait. Il s'est sans doute servi d'un pavé pour assommer mortellement sa victime, avant de mettre en place cette mise scène avec le seau de charbon afin d'accréditer la thèse d'une chute accidentelle.

Twist réfléchit quelques instants avant de poursuivre :

— On ne peut pas dire que le meurtrier était véritablement contraint de commettre ce crime supplémentaire, car la mise au jour de son stratagème ne le dénonce pas forcément, mais il a préféré ne pas courir le moindre risque. Voyons maintenant comment le petit James a réussi là où, il faut bien l'admettre, les professionnels que nous sommes se sont cassé les dents.

Le détective jeta un lent regard circulaire dans le bureau, puis reprit :

— Cette pièce, vous le voyez, comporte plusieurs issues. Trois fenêtres et une porte. Elle ne recèle aucun passage secret. La victime a été tuée à 14 heures précises. Lorsqu'on y entra quelques instants plus tard, l'assassin avait disparu. Mais alors, où était-il passé ? Il ne pouvait s'être enfui ni par les deux fenêtres au-dessus du bureau, pour ainsi dire soudées dans leur cadre, ni par la porte verrouillée de l'intérieur, et sous le contrôle du major Brough. La seule issue possible semblait donc être la fenêtre près du fauteuil, ouverte comme maintenant, mais obstruée, pourrait-on dire, par une toile d'araignée. Pour James, elle n'aurait pu arrêter les Lilliputiens, qu'il soupçonnait d'être responsables du meurtre, et chose curieuse, il avait pu constater que le premier tiroir de cette commode était bloqué avant le drame. Tiroir qui, à présent, vous le voyez bien, brille par son absence. James pensait alors que les assassins miniatures s'y étaient enfermés avant de passer à l'action...

John Sanders s'éclaircit la voix et demanda d'un air étonné :

— Selon vous, James croyait sérieusement à ces sornettes ?

— Non, pas vraiment. Mais c'était sa manière à lui de poser le problème, de le placer dans un contexte ludique et imagé. Après tout, n'était-il pas naturel d'envisager un criminel de très petite taille, puisque que toute autre hypothèse semblait exclue ? Quoi qu'il en soit, il en était arrivé à envisager que le ou les assassins pouvaient être retournés à l'endroit d'où ils étaient venus, c'est-à-dire dans ce tiroir. « Ils se sont enfuis, ils sont passés par le tiroir » devait-il se répéter, amusé, songeant autant au conte de Gulliver qu'au problème posé. C'est sans doute à force de se répéter cette phrase qu'il a fini par comprendre. Car aussi incroyable que cela puisse paraître, c'était là la clé de l'énigme : l'assassin était bel et bien passé par le tiroir.

Une rumeur d'étonnement et d'incrédulité parcourut l'auditoire, puis Pénélope lâcha avec une ironique désinvolture :

— J'avais cru comprendre que c'était par la fenêtre.

— Vous ne croyez pas si bien dire, mademoiselle.

— Alors, je ne vous suis plus du tout : était-ce la fenêtre ou le tiroir ? Car ce ne peut être les deux à la fois, n'est-ce pas ?

Le sourire aux lèvres, le Dr Twist secoua le doigt en signe de dénégation.

— Pas forcément, comme nous le verrons tout de suite. Il me vient encore à l'esprit un autre détail important : le fait que l'araignée, selon les témoins, semblait affectée par la mort de son maître.

— C'est exact, confirma le major.

Twist se caressa la moustache, pensif.

— Hmm... Il est vraisemblable que les araignées éprouvent certains sentiments à l'égard de leurs congénères ou de leur progéniture, mais envers des humains ? Bien que je ne sois pas versé dans la psychologie animale, je reste assez sceptique malgré tout. N'avez-vous pas plutôt été influencés par la scène du crime ? Une araignée éplorée, c'est très touchant, mais notre Pénélope n'était-elle pas simplement étonnée ? N'arpentait-elle pas sa toile comme si elle était surprise, disons pour une autre raison ?

— Possible, répondit prudemment Bates.

— Admettons, trancha le major. Cela aurait-il une importance ?

— Oui, je dirais même une importance capitale. Notre Pénélope, par exemple, aurait pu être fort étonnée par la présence d'une toile étrangère...

— Autrement dit, une fausse toile ? répliqua l'ancien militaire en ricanant. Non, je vous arrête tout de suite. C'était de la vraie toile d'araignée et il n'y avait aucun truquage !

— Toile que vous vous êtes empressé d'arracher !

— Mais...

— Oui, je sais, c'était assez naturel. Ce faisant, vous avez quand même fait le jeu de l'assassin, qui, faute de quoi, l'aurait sans doute fait à votre place.

— Malgré tout le respect que je vous dois, intervint Bates, je crois que vous faites fausse route. Cette toile était réelle et bien prise dans le cadre de la fenêtre...

— Le cadre de la fenêtre ou le tiroir ? s'enquit le détective d'un air malicieux.

Les yeux du domestique s'arrondirent d'étonnement.

— Pardon ?

— Oui, j'ai bien dit le tiroir, Bates. Je vous prierai de prendre un des trois autres et de le vider... Le deuxième est presque vide... Maintenant, dites-moi de quoi est fait un tiroir ? D'un cadre assez solide, d'une planchette pour le fond et d'une façade décorative plaquée sur l'avant et pourvue d'une poignée. Sur les modèles que vous voyez là, la façade est simplement vissée sur le cadre. Il suffit de savoir manier le tournevis pour l'enlever. Il y en a justement un dans le tiroir du bas, Bates. Vous l'avez trouvé ? Parfait. Si vous pouviez faire cette opération, je vous en serais très reconnaissant. Il y en a pour une minute.

Le domestique, surpris, hésita avant de finir par obtempérer. Il ne dépassa guère le temps qui lui était imparti, et lorsqu'il eut terminé, Twist enchaîna aussitôt :

— Quant au socle, en contreplaqué, il est suffisamment souple pour le faire sortir des rainures en forçant un peu.

Le majordome acquiesça et parvint à extraire la fine planche, mais non sans difficulté.

— Que nous reste-t-il alors ? demanda le détective en désignant l'objet. Un cadre de chêne sombre, d'une profondeur de vingt centimètres, qui ressemble à s'y méprendre à... (N'obtenant pas de réponse, il insista d'un ton professoral :) À quoi ? Hmm... Venez par ici, et regardez l'huisserie extérieure de cette fenêtre, ou plus exactement l'embrasure, c'est-à-dire le lambris qui recouvre l'épaisseur du mur, et dont la profondeur fait, elle aussi, près de vingt centimètres, ou juste un peu moins. Protégé des rafales de pluie et des longues expositions au soleil grâce à la haie, l'ensemble est en bon état, à peine patiné par le temps, et sans doute régulièrement entretenu si j'en juge par sa surface lisse et satinée. Comme vous le voyez, l'aspect du bois est exactement le même...

» J'attire également votre attention sur le fait que toutes les huisseries de cette demeure, relativement récentes, sont bien droites et d'équerre. Avec des fenêtres de guingois, comme c'est généralement le cas pour ces vieilles maisons à colombages, cela n'aurait jamais marché. Donc, sur un plan purement pratique, pour le menuiser, construire une telle embrasure équivaut à faire un cadre en bois comme celui de ce tiroir...

Le domestique, ahuri, regardait tour à tour la fenêtre et le tiroir qu'il tenait.

— Je vous préviens tout de suite, poursuivit le Dr Twist en gagnant l'ouverture, vous ne réussirez pas un ajustement parfait avec celui-ci. Le tiroir que vous avez en main est légèrement plus grand... C'eût quand même été trop beau pour l'assassin d'avoir sous la main un accessoire fait sur mesure ! Archibald, auriez-vous encore un morceau de cette excellente ficelle que vous m'aviez procurée l'autre fois ? Oui ? À la bonne heure ! Donnez-la à Bates pour qu'il prenne les mesures. J'ai relevé la dernière fois un ou deux centimètres de plus sur chaque côté et dans le sens de la profondeur.

Lorsque le domestique eut terminé ses mesures, il eut un hochement de tête approbateur. Twist reprit en désignant la fenêtre :

— Il fallait évidemment un ajustement parfait, et donc réduire les dimensions du cadre du tiroir. Opération délicate et minutieuse, qui demande un minimum de temps et, bien entendu, un savoir-faire de professionnel. C'est pour cela que le coupable a été contraint de condamner le tiroir l'espace d'un ou deux jours, disons la veille et la matinée du drame. Pour ce faire, il a simplement vissé sa façade sur la commode, à l'aide de deux vis qui ont d'ailleurs laissé des traces encore visibles sur le meuble. La maquette était provisoirement reléguée dans le tiroir du bas. Maintenant, approchez-vous, Bates, et vous aussi, major Brough, et imaginez que je vienne de l'extérieur et que j'encastre dans le cadre extérieur de la fenêtre un autre cadre, de dimension appropriée et de même aspect, comme l'emboîtement parfait de deux boîtes gigognes sans couvercle et sans fond...

— Bon sang ! fit le major avec un claquement de doigts. Je crois avoir compris ! L'assassin est sorti par la fenêtre, après quoi il a placé dans l'embrasure le cadre qu'il avait préparé et préalablement tendu d'une toile d'araignée...

— Oui, et une vraie toile d'araignée. Pour réussir cela, rien de plus simple : il l'avait posé là, disons durant la matinée, avait attendu que notre besogneuse de service tisse sa toile, puis, celle-ci faite, avait retiré l'ensemble et l'avait simplement déposé au pied du mur ou derrière un buisson...

Bates hocha la tête d'un air déconfit.

— Je comprends à présent notre méprise. Désormais, je crois que je ne serai plus sûr de rien !

— Chronologiquement, tout se tient, reprit le Dr Twist. Vers 2 heures moins cinq, l'assassin se glisse dans cette pièce par la fenêtre ouverte, pour y trouver le professeur endormi dans ce fauteuil, comme il en a l'habitude à cette heure-ci. Il porte évidemment des gants. Il prend le pistolet qui se trouve dans le bureau, l'essuie soigneusement, le charge, se munit d'un chiffon, puis commet sa sinistre besogne. À partir de ce moment-là, nous le savons, chaque seconde lui est comptée. Il presse l'arme du crime contre les doigts du mort, la dépose au sol juste sous la main pendante, puis sort par la fenêtre. Il lui suffit alors de positionner dans l'embrasure le cadre du tiroir obturé par la toile de Pénélope. Et nous comprenons maintenant que l'araignée fut très surprise de retrouver là un de ses propres ouvrages, édifié en un temps record, comme par enchantement !

» Cette opération, juste après le coup de feu, a pu être exécutée en une trentaine de secondes. C'est la suite qui est plus délicate. Car passé l'instant de stupeur subséquent à la découverte du drame, l'assassin va impérativement devoir revenir sur les lieux de son forfait. Pour lui, il est impératif d'enlever son faux cadre avant l'arrivée de la police, et si possible le remettre à sa place dans la commode. Car le trucage ne résisterait guère à un examen de l'extérieur, d'où l'on verrait aisément la double épaisseur du cadre encastré. Et l'on se rend compte ici à quel point l'intervention du major lui fut favorable, encore qu'il pût raisonnablement s'attendre à ce qu'une autre personne eût le réflexe d'arracher cette toile d'araignée. Car si celle-ci avait été laissée intacte, et que quelqu'un entrât dans la pièce juste après qu'il eut fait disparaître son cadre factice, et trouvât donc une fenêtre parfaitement dégagée, cela aurait semblé extrêmement suspect. Après le geste du major, même si un peu de temps s'était écoulé et que l'araignée eût recommencé son ouvrage, cela passait bien mieux. De toute manière, l'assassin était tributaire des réactions des témoins, et devait forcément compter sur son sens de l'improvisation comme nous allons le voir.

» À l'intérieur de la pièce, le fait que les enquêteurs trouvent la façade du tiroir vissée au meuble n'aurait pas été trop grave pour lui. Cette anomalie aurait éventuellement pu être attribuée à la victime. Mais il est évidemment préférable de tout remettre en bon ordre. Je suppose qu'au préalable, le meurtrier ne devait guère nourrir d'espoir sur cette possibilité, mais voilà que l'occasion s'offre à lui. Le bureau sera vide pendant environ une demi-heure. L'opération est risquée, n'importe qui peut revenir à tout moment, mais son audace n'est plus à prouver. Une folle audace, sans doute décuplée par sa confiance en soi, étant donné que tout lui a réussi jusqu'ici.

» Comme le couloir est plus ou moins gardé, il repasse par la fenêtre et, cette fois-ci, on peut vraiment dire qu'il « passe par le tiroir ». Pour l'enlever, il peut aisément opérer de l'intérieur. Le déboîter, le faire pivoter, puis l'introduire dans la pièce. Ensuite, il gagne la commode, enlève la façade vissée sur le meuble, la remet en place sur le tiroir à l'aide de ses vis d'origine, puis accroche le fond en contre-plaqué, sans doute déposé en attente sous la maquette, enfin je le suppose, car il aurait aussi pu l'emporter avec lui. En tout cas, il lui est impossible de l'ajuster comme à l'origine, car désormais, il n'y a plus de rainure. Les deux centimètres qui ont été rabotés dans le sens de la profondeur les ont fait disparaître. Il va donc devoir se contenter de visser ce fond de tiroir par le bas, à l'aide de ces quatre petites vis que nous avons retrouvées dans les cendres. Nous l'imaginons aisément faire tout cela, sa hâte d'en finir, sa peur de voir quelqu'un faire irruption, puis son profond soulagement lorsqu'il quitte les lieux, en repassant par la fenêtre pour une troisième fois. Il arrache sans doute au passage le début d'une nouvelle toile entamée par notre infatigable araignée, qui se remettra une fois encore à l'ouvrage après son départ. Je reviens une dernière fois sur ce fameux tiroir qui, légèrement rapetissé, coulissait désormais fort bien dans son logement. Sa taille et son socle rafistolé n'ont pas retenu l'attention des enquêteurs, mais ont fini par mettre la puce à l'oreille de l'astucieux James... malheureusement pour lui.

— Chapeau pour le gamin, en tout cas ! s'exclama John Sanders. Si on coince un jour ce sinistre individu, ce sera assurément grâce à lui !

Demeuré silencieux durant les explications de son ami, Hurst intervint alors avec une froide assurance :

— On le coincera, faites-nous confiance. C'est une simple question de temps, car il a désormais comme une épée de Damoclès suspendue au-dessus de la tête.

Un silence de mort s'abattit. Puis le major, sourcils froncés, demanda :

— Mais... savez-vous de qui il s'agit ?

— Non, nous avons simplement pu réduire le champ des suspects.

— Alors, qu'allez-vous faire ?

Un sourire félin inonda le visage massif de l'inspecteur Hurst, qui échangea un bref coup d'œil avec Twist avant de répondre :

— Cela, c'est notre secret...

23

BRUITS DE PAS DANS L'ESCALIER

À environ un mile de Royston, en longeant la route de Worcester, on traversait un petit village qui ne retenait guère l'attention. Dans une ruelle derrière l'église se dressait l'échoppe du vieux Fred, menuisier célibataire qui avait considérablement ralenti son activité depuis la paralysie de son bras gauche. Il parvenait encore à se servir de sa main, mais non sans difficulté. Il comptait pourtant parmi les plus habiles ouvriers de la région. Aujourd'hui, on l'avait plus ou moins oublié et on ne lui confiait que des tâches modestes. En ouvrant la porte de sa boutique, on entendait le tintement d'un grelot, et peu de temps après, sa petite silhouette grise se redressait de derrière son établi, sa figure ronde s'éclairait d'un aimable sourire, tandis qu'il s'essuyait les mains pour venir vous accueillir, après avoir louvoyé entre des monticules hétéroclites de planches et de petits meubles.

L'inspecteur Hurst et le Dr Twist étaient

venus le trouver peu avant midi, juste avant la réunion organisée dans le bureau du professeur. C'était le dernier menuisier des environs à qui ils rendaient visite, d'après une liste établie la veille. Car pour eux, depuis que le secret de la fuite de l'assassin avait été percé, il était clair que celui-ci avait fait appel à un professionnel pour réduire les dimensions du tiroir. Avec du travail d'amateur, des outils de fortune, cela n'aurait pas été possible. Il leur suffisait donc de retrouver cet artisan pour qu'il leur parle de ses tout derniers clients... et c'en était fait de l'assassin.

Les deux détectives avaient retenu leur souffle lorsque le vieux Fred, répondant à leur question, avait déclaré sans hésiter :

— Oui, bien sûr que je me rappelle ! C'était y'a même pas une semaine ! Vous pensez bien que rapetisser un tiroir, c'est pas très courant ! Et pas de beaucoup, en plus ! Je me suis vraiment demandé pourquoi. Mais enfin, les besoins des clients, c'est pas mon affaire ! Moi, je suis juste là pour faire ce qu'on me demande... J'ai même fait remarquer que c'était presque plus simple d'en refaire un neuf ! Mais non, il fallait exactement la même essence de bois, et que justement, ça ne sente pas le neuf ! Si je me rappelle qui c'était ? Mais bien sûr, voyons...

Hurst avait eu un mouvement de surprise en entendant le vieil homme prononcer le nom de son client, tandis que le Dr Twist avait simplement esquissé un sourire. Après quoi, les policiers lui avaient demandé de garder le secret de leur visite et, surtout, de se tenir sur ses gardes. Ils l'avaient quitté en lui précisant qu'ils reviendraient en milieu d'après-midi pour lui donner de nouvelles directives.

À l'heure du thé, les détectives étaient de retour. Ils avaient pris soin de ranger leur véhicule le long d'une autre rue. Le salon du menuisier était situé au premier étage, son atelier occupant presque la totalité du rez-de-chaussée, à l'exception d'une petite cuisine et d'un étroit corridor d'où partait l'escalier. L'intérieur de la pièce ressemblait presque à une forêt, tant le bois régnait en maître. Point de meubles volumineux, mais une foule d'objets travaillés, ciselés avec grand soin ; le chef-d'œuvre étant sans doute la pendule murale qui, heure après heure, faisait apparaître un bel oiseau, dont le sifflement ressemblait à celui d'un coucou.

Les détectives venaient d'exposer la situation à leur hôte, qui secouait la tête d'un air à la fois abattu et stupéfait.

— Vraiment, je n'arrive pas y croire...

— Les faits sont pourtant là, soupira Hurst. Il s'agit forcément de l'assassin.

— Et vous pensez que ma vie est en danger ? s'étonna le vieux Fred.

— Oui, car vous êtes le seul témoin, en somme, qui puisse le confondre. De plus, il doit se douter que nous, désormais, enquêtons dans ce sens, et je dirai même qu'il va sans doute se hâter d'intervenir.

— Mais la modification de ce tiroir n'est pas vraiment une preuve qui...

— Une preuve indirecte, si, et qui pèsera dans la balance de la justice. Mais il vrai que nous préférerions le prendre sur le fait. C'est d'ailleurs pour cela que nous sommes ici.

— Vous envisagez de monter la garde jusqu'à ce qu'il vienne ?

— Oui, et il ne tardera pas, croyez-moi. Il est même vraisemblable qu'il opérera la nuit. Si vous n'y voyez pas d'inconvénient, nous resterons ici, dans cette pièce. Il y a des fauteuils confortables et nous pourrons nous relayer. Je vous rappelle qu'il y va de votre sécurité.

— Bien sûr, acquiesça le petit homme, affligé. Mais je n'en reviens toujours pas... Et que devrai-je faire durant tout ce temps ?

— Comme d'habitude. Dormir dans votre chambre. Nous nous occuperons de tout. Si on sonne, c'est vous qui ouvrirez, mais nous serons juste derrière vous.

Lorsque le petit oiseau sonna 7 heures, les deux détectives jouaient aux échecs, sur un magnifique plateau — merveille de marqueterie, exécutée par le maître des lieux — dont Twist venait de se rendre acquéreur. Tout en jouant, il ne cessait de louer la perfection de sa finition.

— C'est un véritable plaisir, déclara-t-il

après avoir mis le roi de son adversaire en échec. J'ai même le sentiment de mieux jouer ainsi ? Vous aussi, Archibald ?

La mèche rabattue sur le front, Hurst répondit par un grognement, qui reflétait bien la fâcheuse situation dans laquelle Twist l'avait mis.

— Je me demande si cet échiquier n'est pas truqué, marmonna-t-il, le regard mauvais.

— Un échiquier truqué ? Vraiment ? Comment cela serait-il concevable, selon vous ?

— Je ne sais pas... Mais souvenez-vous de Bates et du major Brough, qui ont longtemps cru dur comme fer ne pas avoir été victime d'un truquage. Il faut donc être très prudent dans ce domaine.

— Archibald, soyons sérieux : vous le verriez bien si les pièces se déplaçaient toutes seules, non ?

— Alors par les cornes de Lucifer, expliquez-moi pourquoi je n'arrête pas de perdre ? C'est la troisième fois de suite que je me retrouve ainsi acculé !

Il accompagna sa remarque d'un solide coup de poing sur l'échiquier, qui fit tressauter son ami, presque autant que les pions sur le plateau.

— Archibald, mon échiquier tout neuf ! s'indigna-t-il. Ce n'est pas un punching-ball, voyons !

Écarlate, le policier poussa un soupir repentant.

— Excusez-moi, mon ami, mais cette maudite attente me ronge les sangs. C'est sans doute pour cela que je joue si mal aujourd'hui. Autrement, vous pensez bien que je vous aurais tenu la dragée haute.

Le Dr Twist eut le tact et la prudence de ne pas faire de commentaire. Il y allait de la survie de ses beaux pions de bois sculptés.

— Impossible de me concentrer, reprit l'inspecteur.

— Et si nous allions manger ?

Hurst écarquilla les yeux, stupéfait.

— Comment pouvez-vous avoir de l'appétit en un tel instant ?

— Il est important d'être en forme si nous devons veiller cette nuit, non ?

— Mais voyons, il n'est que 7 heures !

— Bien, capitula Twist. Alors attendons encore un quart d'heure.

Le petit oiseau de la pendule siffla huit fois lorsque le vieux Fred servit un sixième sandwiche au Dr Twist, en disant avec embarras :

— Je n'ai plus de pain, Mr Twist. Je suis pourtant allé en chercher tout à l'heure, mais je ne savais pas que... Enfin il me reste encore quelques biscuits secs.

— Mais cela fera tout à fait l'affaire, Fred, répondit Twist en s'emparant de son verre de bière. Je suis grand amateur de petits gâteaux.

Une heure plus tard, la grosse boîte en métal était vide, alors que le menuisier l'avait apportée pleine de biscuits. Twist, sans se départir de son paisible sourire, avait régulièrement pioché dans la boîte tout en continuant de déplacer les pièces sur l'échiquier. Hurst, à l'inverse, semblait au bord de l'apoplexie. Agacé par l'attitude guillerette de son ami et par une suite de défaites successives, il s'obstinait à vouloir prendre une revanche, qui se soldait à chaque fois par un échec plus cuisant que le précédent.

Lorsque son ami lui déclara échec et mat pour la énième fois, vers 10 heures du soir, il poussa un soupir furieux, comme une locomotive lâchant de la vapeur.

— Bon, je crois que je vais m'en tenir là, maugréa-t-il. Ce n'est pas mon jour... Ou alors, vous avez raison, ce doit être ce jeu. Autant il vous est profitable, autant il me dessert. Entre lui et moi, visiblement le courant ne passe pas. Oui, il doit avoir quelque chose de magnétique.

— De magnétique ? Il est pourtant fait de bois, rien que de bois...

— Ne jouez pas sur les mots, Twist, s'il vous plaît ! Je ne suis pas d'humeur à écouter vos sarcasmes. Je vous rappelle que nous nous apprêtons à arrêter un assassin de la pire espèce.

— Et qui, hélas ! ne vient toujours pas.

Hurst leva les yeux vers le lampadaire à ses côtés.

— Il attend peut-être que la maison soit plongée dans l'obscurité ?

La sonnette de l'entrée retentit à ce moment-là. Les deux amis se regardèrent un instant, immobiles comme des statues. On entendit ensuite le bruit d'une porte qui s'ouvre, des pas dans le couloir, puis le vieux Fred apparut en pyjama dans l'encadrement de la porte. Pâle comme un mort, il bredouilla :

— Je venais de me mettre au lit... Que fait-on ?

— Mais bon sang, ne parlez pas si fort, lui ordonna Hurst d'une voix sourde. Faisons comme convenu : vous allez ouvrir et nous, nous vous surveillerons depuis le corridor.

La sonnette de l'entrée tinta une seconde fois, avec plus d'insistance.

Hurst leva un sourcil surpris, puis fit signe au menuisier d'y aller. Chacun se positionna selon le plan établi, mais le visiteur n'était pas la personne attendue. Lorsque le vieux Fred annonça à Hurst qu'il était demandé, le policier le rejoignit et reconnut, sur le pas de la porte, un des policiers de l'équipe de Waddell.

— Sergent Sullivan, n'est-ce pas ? demanda-t-il d'une voix acrimonieuse. Que diable faites-vous ici ?

— C'est le patron qui vous demande...

— Waddell ? Mais je lui ai pourtant bien précisé de ne nous déranger sous aucun prétexte ! Sauf en cas de nécessité absolue...

— Alors ce doit être ça, dit le jeune serent, impressionné par le ton cassant de l'inspecteur de Scotland Yard. Il est revenu tout à l'heure d'un rendez-vous avec un professeur du lycée, et il m'a sommé d'aller vous retrouver sur-le-champ pour vous demander de bien vouloir me suivre. Il veut vous parler, et il paraît que c'est de la plus haute importance.

Il se fit un silence. Hurst fit un pas en avant, scruta l'obscurité de la ruelle, puis demanda à voix basse :

— Comment êtes-vous venu ?

— En voiture, monsieur. Mais je l'ai laissée un peu plus haut, comme me l'a recommandé le patron.

Le policier jeta un coup d'œil à son ami, puis demanda :

— Je peux vous laisser seul une petite heure, Twist ?

— Bien entendu, affirma le détective en palpant un renflement dans sa veste à la hauteur de la taille. En cas de besoin, mon Smith & Wesson se chargera de calmer les esprits les plus vindicatifs.

— Ne jouez pas au cow-boy, tout de même !

— Ce n'est pas mon genre, vous le savez bien, répondit en souriant le détective. Quant à vous, messieurs, soyez discrets. Il serait fâcheux que l'assassin vous croise en chemin. Il flairerait le piège aussitôt !

Hurst lui affirma qu'il était la discrétion même, puis s'en fut en compagnie du sergent. Tandis qu'ils s'éloignaient à pas de loup, Twist se fit la réflexion que leur allure de conspirateurs aurait plus sûrement éveillé l'attention du coupable qu'un sprint de lièvre. Quand leurs silhouettes furent entièrement englouties par les ténèbres, il haussa les épaules, puis emboîta le pas du vieux Fred, qui regagna sa chambre.

De retour dans le salon, Twist éteignit la lumière, réintégra son fauteuil, puis attendit. Il n'éprouvait aucune fatigue, mais l'obscurité de la pièce et le silence jouèrent avec ses nerfs. Le tic-tac lancinant de la pendule semblait être une sorte de compte à rebours avant le moment crucial. Sa propre respiration paraissait plus bruyante, comme celle d'une personne étrangère à ses côtés. Et lorsque le petit oiseau émit le premier de ses 11 sifflements, il sursauta effrayé, avec l'impression que le carillon de Big Ben lui vrillait les tympans.

Les onze signaux s'égrenèrent, puis de nouveau le silence. Un long, un pesant silence, qui selon toute vraisemblance se prolongerait jusqu'à la prochaine manifestation de la pendule. Et Hurst qui n'était toujours pas là, en dépit de sa promesse...

Mais c'était prévisible. Il y avait presque une heure de route pour faire l'aller-retour jusqu'à Worcester. De toute manière, il ne fallait pas s'attendre à un retour tonitruant. Hurst allait de toute évidence revenir en tapinois, comme l'aurait fait l'assassin, en ouvrant prudemment la porte d'entrée, qui n'était pas fermée à clé... Il la pousserait

entement, tandis qu'elle émettrait un très
éger grincement, puis il avancerait à pas
eutrés, sans faire de la lumière bien
ntendu. Il traverserait l'atelier, en tâton-
ant dans l'obscurité, jusqu'au petit corri-
lor... Alors, peut-être, il craquerait une
llumette, un peu comme cet étrange bruit
qu'il venait de percevoir au rez-de-chaussée. Puis, s'étant orienté, il monterait pas à
pas les degrés de l'escalier ; avec une pru-
lence extrême, cela va sans dire, mais avec
ces vieilles marches, impossible d'être par-
aitement silencieux. Elles émettent invariablement de légers grincements...

Soudain, un frisson glacial lui parcourut
'échine. Ces légers grincements, il les per-
cevait bel et bien ! Et il savait d'instinct que
ce n'était pas ceux de Hurst...

Alors... l'assassin. Oui, sans aucun doute.

L'espace d'une ou deux secondes, il ne
bougea plus. La proximité du meurtrier,
dans une obscurité presque absolue le para-
ysa de terreur. Il fallait pourtant agir au
plus vite, prévenir le vieux Fred du danger,
sans compromettre leur plan pour autant.
La menace était trop imminente pour songer à un subterfuge subtil. Il poussa violemment le lampadaire à ses côtés, qui tomba
avec fracas sur le vaisselier.

La réaction du vieux Fred ne tarda pas. Il
se réveilla en sursaut, poussa un cri,
demanda ce qui se passait, puis alluma sa
ampe et ouvrit la porte de sa chambre. De
'endroit où il se trouvait, Twist ne vit qu'un

rectangle de lumière sur le sol du salon s'étirant depuis l'ouverture de la porte qu'i avait laissé entrebâillée. Il entendit ensuit le menuisier demander :

— Ah ! c'est vous ? Mais... mais qu faites-vous ici ?

La voix qui lui répondit correspondai bien à celle qu'il s'attendait à entendre Mais cela ne l'empêcha pas de sentir un nouveau frisson de mort courir dans se veines.

— Oh ! Mr Fred ! Pardon... excusez moi... J'ai sonné sans obtenir de réponse.. et comme la porte était ouverte...

— Mais enfin.. savez-vous l'heure qu'i est ?

— Oui, je sais bien, monsieur Fred, mai je n'ai pas pu venir avant. Nous avons e une rude journée... Et je tenais absolumen à vous payer pour le petit service de l'autr jour.

— Le tiroir ?

— Oui.

— Cela n'aurait-il pas pu attendre ?

— Eh bien... vous connaissez mes prin cipes et... (Petit rire nerveux.)... c'est bie connu, les bons comptes font les bon amis ! Mais dites-moi, c'est vous qui ave fait ce vacarme, juste avant ?

— Euh... non... enfin oui.

— Cela semblait venir de cette pièce...

— Oh ça m'étonnerait ! il n'y a per sonne...

— En êtes-vous bien sûr ? Allons voir, on ne sait jamais avec tous ces cambrioleurs. On n'est jamais assez prudent de nos jours.

Twist savait à présent que son plan avait échoué. L'assassin n'allait plus pouvoir être pris sur le fait, bien que sa venue à une heure aussi indue fût un nouvel élément à charge contre lui. Il ne lui restait plus qu'à jouer une dernière carte, sans doute le coup le plus risqué : provoquer l'adversaire pour le pousser à la faute.

Lorsque la lumière fut faite dans la salon et que Twist aperçut le visage stupéfait du nouveau venu, ce fut comme si la pendule s'accélérait. Le détective, affectant un air placide, ouvrit la bouche pour saluer ironiquement l'assassin, mais celui-ci, comprenant en un éclair qu'il venait de tomber dans un piège, plongea sa main dans la poche de sa veste pour brandir un petit revolver et le pointer aussitôt dans sa direction.

D'un réflexe qu'on aurait guère attendu chez un homme de son âge, le vieux Fred, bien que vert de peur, se hâta de tourner l'interrupteur qu'il venait d'actionner. Dans l'obscurité soudaine, Twist eut juste le temps de plonger sur le côté, sans quoi il eût été à coup sûr touché par la balle qui siffla à ses oreilles. L'assassin tira un second coup, qui le frôla de nouveau. Il riposta aussitôt pour faire diversion, craignant que le meurtrier ne s'en prenne au vieux Fred, mais tira vers le plafond, de peur de blesser ce dernier. Plusieurs coups furent ainsi échangés en aveugle, dans un vacarme assourdissant, tandis que le détective sautait de place en place, renversant la plupart des meubles, sur lesquels butait également l'agresseur sur ses talons. De violents éclairs trouaient l'obscurité de la pièce, révélant spasmodiquement la fusillade confuse. Soudain, la voix familière de Hurst retentit au-dehors :

— Twist, pour l'amour du Ciel, que se passe-t-il ? Tenez bon, nous arrivons !

On entendit la porte d'entrée s'ouvrir avec fracas, des pas précipités, puis la lumière se fit dans le couloir, éclairant faiblement le salon. L'éminent détective vit alors le visage de l'assassin, luisant de haine. Un sourire effroyable flamboya dans son regard lorsqu'il pointa son arme vers lui. Sa main se raidit lorsqu'il pressa la détente, mais il n'y eut qu'un dérisoire cliquetis pour tout résultat. Le meurtrier avait épuisé toutes les cartouches de son barillet.

Alors, tandis que les pas des policiers résonnaient bruyamment dans l'escalier, comme si un troupeau de bisons passait par là, l'assassin bondit comme un fauve en direction de la fenêtre et se jeta contre les carreaux. Il y eut un bruit fracassant de verre brisé juste avant que Hurst ne fît irruption dans la pièce en brandissant des deux mains un pistolet automatique, d'un air aussi menaçant qu'effrayé, en s'écriant :

— Que personne ne bouge !

Lorsqu'il avisa Twist et la fenêtre défoncée, il fit aussitôt demi-tour, bousculant au passage le sergent sur ses talons.

Dehors, parvenu au pied du mur, il s'approcha prudemment de la personne inerte au sol, précédé du rayon de sa lampe torche. De l'autre main, il brandissait son colt, si fort que l'arme en tremblait. Twist, qui venait de le rejoindre en compagnie du sergent, s'agenouilla pour examiner le corps. Après lui avoir pris le pouls, il déclara :

— Elle n'est qu'évanouie. Mais passez-lui les menottes sans plus tarder, Archibald, car on ne sait jamais. J'ai failli me laisser surprendre !

— Vous vous êtes cru au Far West, ma parole ! Heureusement que je vous avais demandé de ne pas jouer au cow-boy ! Regardez, vous avez réveillé tout le voisinage ! Les fenêtres de la rue s'éclairent les unes après les autres.

— Je crois que j'ai eu la peur de ma vie, Archibald.

— Et moi, en entendant tout ce vacarme, vous ne pensez pas que je me suis fait du mouron ?

— Et tout cela... à cause d'elle ? s'étonna Sullivan en se penchant vers le corps. Mais... n'est-ce pas la jolie miss Pénélope ?

ÉPILOGUE

— Je crois bien que nous vivons nos derniers instants de douceur de l'année, déclara le major, debout devant les portes ouvertes de la terrasse, en train de contempler le ciel.

— Vous avez lu le bulletin météorologique dans le journal ? s'enquit le Dr Hughes, installé à la table du salon, en compagnie des deux détectives. Ou c'est cette violente averse, hier, qui vous donne à penser qu'un changement de temps se prépare ?

— Pour une averse, c'était une sacrée averse, en effet, commenta le major. Elle a surpris tout le monde, y compris notre révérend, qui s'est cru obligé de modifier son oraison funèbre.

Twist revit en pensée le déroulement des obsèques de Frederick Foster et de James. L'inhumation fut si éprouvante qu'il s'était surpris à haïr férocement tous les assassins de la Terre, et en particulier celui qui avait pris la vie du jeune défunt. Lorsque l'averse avait éclaté, alors qu'il faisait un soleil resplendissant à la sortie de l'église, le pasteur, en plein éloge funèbre, s'était tu quelques instants, pour scruter le ciel d'un air soupçonneux. Nul ne sut quelle fut sa pensée profonde, mais il semblait qu'il y avait comme une nuance de reproche dans son regard. L'instant d'après, il déclarait que la pluie rageuse qui cinglait Royston était envoyée par le Tout-Puissant, pour laver la présente assemblée, la paroisse et le village entier de la honte et de l'opprobre suscités par ces deux crimes révoltants. Tandis que la pluie continuait de fouetter son visage stoïquement levé vers le ciel, il déclarait que tous les alentours devaient être purifiés, chaque pouce carré de terrain, y compris les moindres parcelles de leur âme, afin de les garantir contre le mal.

— Mais ce n'est pas cela, reprit le major. Ce qui me permet d'être aussi affirmatif, c'est mon baromètre personnel, petite merveille de précision, que j'ai rapporté en souvenir du Soudan.

— Votre blessure à la jambe ? suggéra le Dr Twist.

— Exactement. Elle m'indique chaque changement de temps plus sûrement que les prévisions des spécialistes, et plus douloureusement aussi, je dois bien l'admettre, ajouta-t-il avec une légère grimace. Mais on ne peut rien vous cacher, Mr Twist. Votre art de la déduction me semble sans limite.

Le léger sourire du détective devint plus

franc lorsqu'il vit Charlotte entrer dans le salon avec le service à porto et une assiette remplie de petits-fours.

— Cette déduction-là était assez facile, convenez-en.

— Certes, mais je pensais surtout au drame qui nous a frappé. Et là, Mr Twist, j'avoue avoir vu en vous, l'autre jour, lors de votre brillante explication sur le tour de passe-passe du tiroir, comme une sorte de sorcier. Et enfin, comment êtes-vous parvenu à confondre la coupable ? À deviner le rôle qu'elle a tenu dans la vie du professeur Foster ?

Twist jeta un bref regard circulaire.

— Je suis heureux que Mrs Foster ne soit pas présente, car il me sera plus aisé d'y répondre.

— Elle est allée se reposer dans sa chambre, dit le médecin. Prenez tout votre temps, Dr Twist.

— Comment se porte-t-elle, à propos ?

— Assez bien, dirais-je. Évidemment, elle est toujours très affligée par la disparition de son neveu, mais... (Le praticien mit la main en cornet devant sa bouche pour s'éclaircir la voix.) Enfin ce n'est une surprise pour personne, nous allons nous marier... nous marier très bientôt.

— Alors, c'est une fort bonne nouvelle ! s'exclama le Dr Twist d'un ton enjoué.

— Oui, bien sûr, approuva le médecin, un peu embarrassé. Mais j'espère qu'il n'y aura pas d'embûche, cette fois-ci !

236

— Tout se passera bien, affirma le Dr Twist, vous verrez.

— Comment pouvez-vous en être aussi sûr ?

Légèrement décontenancé, le Dr Twist hésita quelques secondes avant de répondre :

— Grâce à mon baromètre personnel. Vous pouvez lui faire confiance, comme à celui du major pour la météo, il ne me trompe jamais sur ces choses-là !

Sur ses encourageantes paroles, un toast fut porté au Dr Hugues, à sa fiancée et à leur bonheur. Après quoi le major proposa de chasser les démons du passé, en demandant au Dr Twist de leur livrer ses ultimes explications sur l'affaire, et de clore ainsi définitivement le débat.

— Hélas ! commença le détective, nous n'avons eu la confirmation de ce que je soupçonnais que tardivement, c'est-à-dire la nuit même de notre piège, n'est-ce pas Archibald ?

L'inspecteur de Scotland Yard approuva de la tête.

— Notre ami Waddell venait de s'entretenir avec un confrère du professeur Foster, qui l'avait jadis bien connu et qui était au courant de son ancienne liaison. Lorsque celui-ci a prononcé le nom de la jeune secrétaire qui avait séduit Foster... miss Pénélope Ellis... le sang de Waddell n'a fait qu'un tour. Il est aussitôt revenu au commissariat et m'a dépêché un de ses hommes pour me prévenir. Waddell est alors venu ici, à Black House, comme vous le savez, vers 10 heures du soir... mais plus de Pénélope. Moi, je suis retourné à l'atelier de menuiserie, relativement discrètement dans un premier temps, mais la pétarade qui a réveillé tout le village m'a fait comprendre que la meurtrière venait de passer à l'action.

— Mais comment, précisément, insista le major, en êtes vous arrivé à la soupçonner ?

— Une fois que le secret du tiroir était percé à jour, répondit le détective, la liste des suspects s'était sensiblement réduite. Le major et Charlotte Bates semblaient définitivement hors de cause, pour une simple question de temps. Bates également, bien qu'à un degré moindre, ainsi que le petit James, qui venait de l'étage supérieur. Vous, Dr Hugues, vous êtes arrivé au moment du drame. Vous aviez sonné à la porte d'entrée, entre trente et soixante secondes après le coup de feu, selon les témoignages. Ç'aurait été difficile pour vous, mais faisable. Cependant, les personnes les mieux placées étaient indiscutablement Mrs Foster et Pénélope, qui avaient toutes deux disposé d'une bonne minute. La mauvaise vue de la maîtresse de maison l'éliminait d'office. Elle aurait certes pu contourner la maison en courant et revenir dans le salon par la terrasse, connaissant le chemin par cœur, mais pour la mise en scène du crime, c'était inconcevable. Pénélope était donc, et de loin, la personne la mieux placée pour avoir commis ce crime. Elle prétendait sortir de la salle de bain et nous voulons bien la croire, car cette pièce est située au rez-de-chaussée, non loin du bureau. Il lui suffisait d'avoir laissé la fenêtre ouverte pour pouvoir y retourner en un clin d'œil. D'ailleurs, la coupable l'a bien compris...

— Tout comme elle a bien enregistré le fait que seul un professionnel pouvait s'être chargé de la modification du tiroir, dit Hurst en souriant.

— Vous l'aviez appâtée avec ce détail, n'est-ce pas ? demanda le major.

— Oui, et elle a bien mordu à l'hameçon, reprit Twist. Je peux même vous dire que c'était un sacré gros poisson... malgré la minceur de sa taille.

— Cette minceur qui a profondément ému le professeur, jadis ?

— En effet. Il faut dire avant toute chose qu'elle n'a pas 21 ans, mais quatre années de plus. Sa beauté et sa jeunesse donnent le change, même lorsqu'elle est venue ici la première fois, alors qu'elle était censée avoir 18 ans, je crois. Il me semble que c'est un peu le hasard qui m'a mis la puce à l'oreille, lorsque j'ai appris que deux âmes en peine s'étaient échouées dans cette maison après avoir perdu leurs parents, c'est-à-dire James et miss Ellis. Cela arrive, bien sûr, mais je me suis dit que cela faisait beaucoup. Puis j'ai remarqué par la suite que la soudaine « sagesse » du professeur Foster, plus casanier et apparemment revenu dans le droit chemin, après avoir quitté le lycée où il voyait sa maîtresse, et cet étrange changement, coïncidaient avec l'installation de Pénélope dans cette maison, soit un an avant son départ pour le Brésil. En vérité, je ne m'y serais pas attardé outre mesure s'il n'y avait pas eu d'autres agissements curieux. Il semblait normal qu'en tant que « parrain », Foster veille à la bonne conduite de sa « filleule », mais certains épisodes de son obstination à la pourchasser la nuit m'ont paru quelque peu excessifs. Je pense notamment à l'incident des pneus crevés, que Pénélope elle-même avait eu le front de me signaler. Là, voyez-vous, je me suis dit « trop, c'est trop » !

Twist s'interrompit pour déguster le porto qu'on venait de lui servir, puis il grignota un petit-four.

— Les ruses des amants pour cacher leur liaison ne sont guère variées. On peut même les résumer en deux méthodes. L'une, qui consiste à être le plus discret possible, à faire comme si on ne se connaissait pas. L'autre est de faire semblant d'être des ennemis, de se quereller ouvertement. Je dois reconnaître que, dans ce dernier registre, nos amants ont parfaitement tenu leurs rôles respectifs. Elle, la petite dévergondée qui n'en fait qu'à sa tête ; lui, l'oncle vieux jeu, qui ne cesse de la houspiller et surtout... de se lancer à sa recherche, parfois des nuits entières. C'étaient évidemment pendant ce temps qu'ils se retrouvaient.

— J'étais malheureusement bien trop préoccupé par Ruth pour me rendre compte de ce manège, soupira le Dr Hugues. Mais pourquoi toute cette mise en scène ?

— Parce que le professeur Foster sentait que son ménage battait de l'aile. Il ne tenait pas à rompre avec sa femme, mais en même temps il voulait avoir sa maîtresse auprès de lui. Il est vraisemblable qu'il ait été littéralement ensorcelée par la jeune Pénélope, ce qui se conçoit assez aisément sur un plan physique. Personnellement, je la soupçonne d'être l'instigatrice de tout, bien que je n'en aie aucune preuve. Je crois même qu'elle s'intéressait davantage à sa fortune qu'à ses beaux yeux. Une enquête sérieuse sur son passé devrait nous éclairer davantage sur sa nature profonde, encore que son caractère égoïste ne semble avoir échappé à personne, et notamment pas à votre voisine Barbara, qui la tenait même pour la principale suspecte.

» Les renseignements que miss Ellis vous a fourni sur son compte étaient parfaitement exacts, comme le prénom de son défunt père Charles, mais il n'avait jamais été l'ami intime de Foster, ni même l'ami tout court. Cette histoire de parrain — est-il besoin de le préciser ? — n'était que pure invention, et je ne m'attarderais pas davantage sur ces très juvéniles et affectueux « oncle Fred », pour mieux tromper son monde. Ses flirts de droite à gauche constituaient également un excellent alibi sentimental, mais il n'est pas exclu que, pour maintenir en haleine tous ses prétendants, Pénélope se soit laissé aller à ajouter une touche de réalisme à sa comédie, avec pour conséquence éventuelle une certaine jalousie de la part de Foster. Si cette idée venait d'elle, j'ajoute qu'elle était excellente, car bien dosée, elle permettait de mieux subjuguer son amant, dans un diabolique mélange de passion et de jalousie.

» Puis un beau jour, Foster s'est lassé d'elle et de ce manège. Ou plus exactement, il ne savait plus où il en était, éprouvant des remords de plus en plus vifs à l'égard de son épouse. Comme il s'est confié à elle peu avant sa mort, nous connaissons les motivations de son départ, même s'il a tenu secret le nom de sa maîtresse. Je n'y reviendrai pas, ni sur les sentiments variés qu'a suscités sa « résurrection » chez chacun d'entre vous, éprouvant mélange d'angoisse et de joie. Arrêtons-nous en revanche sur ceux de Pénélope. La « fidèle Pénélope » pourrait-on dire ironiquement, elle qui n'a cessé de mener une vie de reine depuis l'exil de son amant et qui, parions-le, n'a pas trop dû pleurer son « premier décès », lorsqu'on croyait avoir retrouvé son cadavre. Elle qui a bien profité, et même au-delà, de sa posi-

ion de « protégée » du défunt. Son carac-
ère vif, sa personnalité lui ont permis de
'imposer dans cette maison, jouissant
l'une indépendance financière qu'elle ne
ossédait même pas. J'ignore à ce moment-
à quels étaient ses projets, mais il est clair
qu'elle entendait bien ne rien perdre de ce
qu'elle considérait comme acquis. Là-
lessus, Foster réapparaît, avec l'intention
le renouer avec sa femme. Nous n'avons
as eu de confidence de la coupable...

— Au fait, questionna soudain le
Dr Hugues, est-elle toujours amnésique ?

— Amnésique ? ricana Hurst. Vous vou-
ez rire ! C'est une ruse, une ultime ruse, la
eule qu'elle ait trouvée lorsqu'elle a
ompris que, pour elle, les carottes étaient
uites ! Même sans être médecin, je suis
l'ores et déjà sûr de mon diagnostic : elle
'est pas plus amnésique que vous et moi !

— Il paraît pourtant qu'elle a fait une
hute très brutale en sautant de la fenêtre.

— Elle a pourtant fait une fracture du
assin. Mais croyez-moi, ce ne sont ni ses
etits bobos, ni ses mimiques, ni sa comé-
lie qui lui éviteront le sort qu'elle mérite !

— Bref, reprit Twist, nous en sommes
éduits à la spéculation pour ce qui est du
notif de ses agissements. Mais les faits par-
ent d'eux-mêmes. Foster a dû lui dire à un
noment donné que sa place n'était plus
lans cette maison, et cela, sans doute avant
qu'il ne lui reproche ses dépenses exorbi-
antes, peu de temps avant sa mort. Il est

même probable qu'il ne se soit pas limité à
ces seuls griefs à ce moment-là. Même s'il
ne devait plus éprouver de jalousie à son
endroit, la vie de bâtons de chaise qu'elle
menait devait l'agacer au plus haut point.
En un mot, il a dû la mettre à la porte, en
lui demandant sans doute de ne pas trop
tarder, et si possible, sans faire d'esclandre.
Pénélope a dû sentir l'aspect irrévocable de
la décision de son ancien amant, qui signait
par là même son arrêt de mort. Elle était
trop habituée à son confort douillet et sa
totale liberté pour envisager un nouveau
départ dans la vie, avec son cortège d'incer-
titudes et de mauvaises surprises. Peut-être
aurait-elle réagi autrement si elle avait fait
la connaissance d'un beau jeune homme
fortuné ? Ce ne fut sans doute pas le cas...
Mais à ce propos, j'aimerais vous poser une
question, Dr Hugues. Ne vous aurait-elle
pas fait des avances, ces temps-ci ?

— Des avances ? s'étonna le médecin.
Des avances à moi ? Mais voyons, elle savait
que je ne souhaitais rien d'autre qu'épouser
Ruth !

— Peut-être pas des avances directes.
Réfléchissez bien... Car cela ne m'aurait pas
étonné qu'un beau jour, votre future épouse
décède des suites d'un accident, un peu
comme celui qui est survenu à James.

— Vous ne voulez pas dire que...

— Ç'aurait pourtant été dans la logique
des choses. L'héritage de Foster lui serait

inalement revenu, *via* Mrs Foster et vous-
même...

Paul Hugues ressentit soudain une bouffée de chaleur, au souvenir d'un récent tête-
à-tête avec la jeune femme.

— Eh bien maintenant que vous me le
dites, ça ne me paraît pas impossible. Ce
soir-là, pour la première fois de ma vie, je
l'avais vue avec d'autres yeux, et elle
n'avait parlé d'une sécurité qu'elle n'avait
jamais rencontrée chez ses amis habituels.
Mais alors... ce serait vraiment monstrueux... je n'ose pas y croire.

— À vous de voir, Dr Hugues. De toute
façon, cela ne change plus rien à l'affaire.

— Donc, si j'ai bien compris, intervint le
major, c'est également elle qui a volé le dossier des empreintes digitales ?

— Bien entendu.

— Et donc provoqué l'incident avec les
araignées... alors qu'elle en avait une sainte
horreur ?

— Encore une manière de détourner les
soupçons. Étant donné qu'il s'agissait
d'araignées non venimeuses, les placer
dans un carton ou un sachet ne devait pas
constituer une épreuve rédhibitoire. Mais je
reconnais que ce fut peut-être pour elle le
moment le plus éprouvant de toutes ses
manigances. J'imagine qu'elle a enfilé
d'épaisse mitaines pour ce faire. Quant au
lâcher des « fauves », il suffisait de laisser
traîner lesdits sachets ouverts, d'attendre
pour crier, et prétendre que l'araignée était

245

passée sur son pied... D'après ce qu'on m'a dit, elle portait — comme par hasard — de sandales très aérées ce soir-là. Je gage que sur le devant d'une de ses chaussures, il y avait une pointe d'épingle. Un petit coup de pied discret dans la jambe de Mrs Foster pour la faire crier, cela n'a pas dû lui poser beaucoup de problèmes. Je vous ai déjà expliqué pourquoi elle voulait qu'on croie que Foster était un imposteur, pour étayer l'idée d'un suicide, théorie qu'elle a même défendue lorsque nous l'avons interrogée. Et voilà, je crois avoir tout dit.

Après un silence, le major dit en secouant la tête :

— Il y a un point qui me semble encore curieux, par rapport à son tour de passe-passe pour quitter la pièce du drame. Depuis votre brillante explication de l'autre jour, je me suis posé une question, à laquelle je n'ai trouvé aucune réponse satisfaisante...

— À propos du tiroir ? s'enquit le Dr Twist avec un sourire malicieux.

— Oui. Pourquoi diable a-t-elle utilisé celui de la commode ? Puisqu'elle était allée voir un menuisier pour le modifier, n'aurait-il pas été plus simple de faire faire un cadre neuf ?

— Elle n'avait pas le choix. Souvenez-vous, j'avais attiré votre attention sur l'aspect du bois identique du lambris et du tiroir. Au départ, il ne s'agit que d'une simple coïncidence, qu'elle a dû remarquer par hasard, comme pour les dimensions adéquates du tiroir. Il est même probable que son idée soit partie de là. Faire un cadre neuf était évidemment exclu, car on l'aurait remarqué comme le nez au milieu de la figure. Cela, elle l'avait bien compris, nous le savons grâce au témoignage du vieux Fred. Il lui avait fait cette proposition, qu'elle s'est empressée de rejeter. En somme, il aurait fallu faire du neuf qui ressemble à de l'ancien, donc réussir à produire une patine artificielle sur un nouveau cadre. Je ne suis pas expert en la matière, mais je pense que le vieux Fred est assez adroit pour cela. L'idéal, bien sûr, eût été de le faire venir sur place, mais cela n'était pas envisageable pour des raisons évidentes. La solution la plus simple aurait été de lui apporter un des tiroirs, comme elle l'a fait, pour qu'il se contente de le prendre comme modèle. Mais vous comprenez bien que tout cela aurait pris du temps. Or, tout porte à croire qu'elle était pressée de réduire son amant au silence, qu'elle redoutait qu'il confie leur secret à ses proches, ce qui eût été désastreux pour elle et ses projets diaboliques.

— Mais enfin, elle n'était quand même pas à quelques heures près !

— Quelques heures ? s'étonna le détective. Il faut compter près d'une journée rien que pour le séchage d'une couche de vernis ! Or, il en fallait plusieurs pour obtenir le même aspect satiné du bois. Mais il y avait bien pire ! Car le vernis, c'est comme la peinture fraîche...

— L'odeur ! s'exclama le Dr Paul Hugues.

— Oui, impossible de la masquer après application de ce produit, pourtant nécessaire. Une odeur forte, caractéristique, qui dure plusieurs jours, voire plusieurs semaines, et qui pue la mise en scène à plein nez ! Comment, dans ces conditions ne pas la percevoir lors de la découverte du crime, alors que les témoins venaient coller leur nez contre cette étrange toile d'araignée ?

Le major hocha la tête en souriant.

— Vous avez réponse à tout, Dr Twist dit-il. Mais il reste un dernier mystère Celui du nom de Pénélope. Pourquoi Foster avait-il baptisé ainsi son araignée ? À cause de ses qualités de fileuse, comme celle de l'épouse d'Ulysse ? À cause de l'« infidélité » de sa femme par ironie ? Ou une allusion directe à la vraie Pénélope, et éventuellement à ses inconstances amoureuses ?

— Peut-être les trois à la fois, réfléchit Twist. Il a simplement dû se dire que ce nom était une bonne trouvaille, amusante par son ambiguïté. Mais j'ai peur que ce choix ait aussi déterminé son destin. Car s'il avait baptisé cette araignée autrement, l'assassin n'aurait peut-être pas eu l'idée de ce tour avec le cadre du tiroir. Et en même temps, sans le savoir, il dénonçait d'avance la criminelle. Elle-même n'a pas dû y penser, car voyez-vous, la « veuve noire » de l'histoire, l'araignée meurtrière qui a tissé la toile maléfique de ce redoutable imbroglio, c'est évidemment Pénélope elle-même. « La toile de Pénélope », qui nous donne à la fois l'indice du crime et le nom de la coupable...

— Comme tout paraît évident après coup, soupira le major.

— Je ne vous cacherai pas que depuis que cette idée m'a traversé l'esprit, l'image de cette sombre araignée guettant sa proie, à l'affût dans un coin de son piège en fil de soie, je n'ai plus pu m'en défaire, au point de gauchir la rigueur habituelle de mon analyse. J'ai mené l'enquête de ce crime avec un préjugé qui, fort heureusement, s'est révélé fondé.

Le Dr Twist se tut un instant, puis ajouta d'une voix grave :

— Cette image est d'autant plus vive que je ne suis pas prêt d'oublier cette nuit où nous l'avions piégée dans la menuiserie, et surtout le regard qu'elle m'a décoché lorsqu'elle a pointé une dernière fois son arme sur moi. La lueur cruelle qui brillait dans ses yeux, sa chevelure noire et ébouriffée, l'odeur de haine qu'elle dégageait... C'est bien une araignée tueuse qui était devant moi.

LES GRANDS FORMATS DE PAUL HALTER
AUX ÉDITIONS DU MASQUE

LE CHEMIN DE LA LUMIÈRE

Fuir ! Voir disparaître un quotidien ennuyeux, une vie sans horizon. Michel se l'était promis, et lorsque l'île de Crète se profile dans le hublot de son avion, il sait que là s'accomplira sa destinée.

Mais le hasard s'accroche à ses pas et lui fait retrouver Andrée, qu'il a jadis passionnément aimée. Désormais fiancée à un archéologue, la jeune femme pense avoir mis au jour, sur le champ de fouilles, le moyen de remonter le temps. Supercherie ou croyance fondée ? Elle ne le saura qu'en mettant son hypothèse à l'épreuve...

Tandis que Michel, à nouveau envoûté, cherche une heureuse issue à leur amour, et qu'une forte somme d'argent disparaît sur le chantier, Andrée se volatilise lors d'une curieuse cérémonie.

Ayant découvert en elle sa seule raison d'exister, Michel ne songe plus qu'à la retrouver, morte ou vive. Quitte à abolir le hasard d'un seul coup de dé...

Avec *Le Chemin de la lumière*, Paul Halter se fait maître du temps et du destin, et jongle entre passé et présent d'une plume très noire...

LES DOUZE CRIMES D'HERCULE

Londres, 1917. Un improbable tueur en série, revêtu — aux dires de rares témoins — d'une peau de lion, perpétue des crimes inspirés des travaux d'Hercule.

Des mises en scène macabres dans lesquelles Owen Burns voit l'œuvre d'un grand artiste, et c'est avec jubilation qu'il se lance sur la piste de l'insaisissable criminel.

Pendant ce temps, dans une imposante demeure du Kent, un colosse répondant au doux prénom d'Hercule pleure sa jeune femme tragiquement disparue.

Existe-t-il un lien entre lui et l'assassin féru de mythologie ? Pourquoi une femme ressemblant à la défunte s'est-elle introduite dans la maison sous un faux nom ? Que cache la mystérieuse « chambre chinoise » que le patriarche a fait condamner avant de se donner la mort ?

Alors que les secrets répondent aux secrets, que les meurtres continuent et que la peur règne sur Londres, l'esthète Owen Burns lève peu à peu le voile de la vérité...

Entre Grèce antique et Angleterre de Georges V, Paul Halter nous régale d'une intrigue foisonnante sur laquelle plane l'ombre des Parques...

Composition réalisée par NORD COMPO

Imprimé en France sur Presse Offset par

BRODARD & TAUPIN

GROUPE CPI

La Flèche (Sarthe).
Imp. : 9953 – Edit. : 16040 - 11/2001
ISBN : 2 - 7024 - 3061 - 9
Édition : 01

Ville de Montréal

MR

Feuillet de circulation

HAL

À rendre le	
JUIL. 2002	06 AOUT 2003
08 AOUT 2002	17
23 AOUT 2002	
11 SEP. 2002	12 FEV. 2004
25 SEP. 2002	20 JUIL. 2004
	22 SEP 03
18 OCT. 2002	
12 NOV. 2002	30 SEP. 2004
06 DEC. 2002	18 NOV. 2004
21 DEC	11 MAI
23 JAN. 2003	
25 MAR 2003	
15 MAI 2003	
30 MAI 2003	

06.03.375-8 (05-93)